COMPLOT AU MUSÉE

Catalogage avant publication de Bibliothèque et Archives Canada

Gagnon, Hervé, 1963-

Complot au musée

(Collection Atout; 114. Policier)
Pour les jeunes de 12 ans et plus.

ISBN 2-89428-924-3

I. Titre. II. Collection: Atout; 114. III. Collection: Atout. Policier.

PS8563.A327C65 2006   jC843'.6   C2006-940962-5
PS9563.A327C65 2006

Les Éditions Hurtubise HMH bénéficient du soutien financier des
institutions suivantes pour leurs activités d'édition:

– Conseil des Arts du Canada;
– Gouvernement du Canada par l'entremise du Programme d'aide
   au développement de l'industrie de l'édition (PADIÉ);
– Société de développement des entreprises culturelles du Québec
   (SODEC);
– Gouvernement du Québec par l'entremise du programme de
   crédit d'impôt pour l'édition de livres.

Éditrice jeunesse: Nathalie Savaria
Conception graphique: Mance Lanctôt
Illustration de la couverture: Luc Normandin
Mise en page: Martel en-tête

© Copyright 2006
Éditions Hurtubise HMH ltée
Téléphone: (514) 523-1523 • Télécopieur: (514) 523-9969
www.hurtubisehmh.com

ISBN 10: 2-89428-924-3
ISBN 13: 978-2-89428-924-2

Distribution en France
Librairie du Québec/D.N.M.
www.librairieduquebec.fr

Dépôt légal/3e trimestre 2006
Bibliothèque et Archives du Canada
Bibliothèque et Archives nationales du Québec

Imprimé au Canada

HERVÉ GAGNON

COMPLOT AU MUSÉE

HERVÉ GAGNON

Historien et muséologue, Hervé Gagnon dirige *Blitz, Culture & Patrimoine*, une entreprise spécialisée dans la gestion et la mise en valeur de la culture et du patrimoine. Il a aussi enseigné l'histoire du Canada et la muséologie dans plusieurs universités québécoises.

Son intérêt pour la littérature jeunesse remonte à 1999, alors que son fils l'avait mis au défi d'écrire un roman pour les jeunes. Il faut croire que le fils avait pressenti la vocation du père, car, après *Au royaume de Thinarath*, *Fils de sorcière* (finaliste pour le Prix de la Banque TD 2005 de littérature pour l'enfance et la jeunesse) et *Spécimens, Complot au musée* est le quatrième roman qu'il publie aux Éditions Hurtubise HMH.

*Je dédie ce roman aux deux plus grands «fans»
du juge Baby: mon épouse, Valerie Kirkman, qui
a fouillé les moindres recoins de la vie du juge
pendant que je m'intéressais au musée qu'il a
fondé et qui m'a littéralement contraint à me
pencher sur le personnage, et mon vieil ami
André Delisle, qui dirige le Musée du Château
Ramezay et que le juge, où qu'il soit, doit consi-
dérer comme son fils adoptif!*

*Comme toujours, mes remerciements les plus
humbles vont à Nathalie Savaria, qui est une
collaboratrice bien plus qu'une éditrice.*

PROLOGUE

Washington, D. C., 16 février 1896.

La porte se referma doucement. Seul dans le bureau ovale de la Maison-Blanche, Grover Cleveland, vingt-quatrième président des États-Unis, secouait la tête, incrédule. Il lissa sa grosse moustache entre le pouce et l'index. Soudainement, le nœud papillon qu'il portait toujours lui serrait un peu la gorge. D'un geste impatient, il le dénoua et se cala dans son fauteuil. Distraitement, il passa la main dans ses cheveux clairsemés et peignés vers l'arrière. Les tentures étaient ouvertes et le soleil du matin entrait par les trois grandes fenêtres qui se trouvaient derrière lui.

L'homme qui venait à peine de sortir avait réveillé un fantôme vieux de presque soixante ans. Codirecteur de la célèbre agence de détectives Pinkerton depuis la mort de son père, Allan, en 1884, Robert Pinkerton était absolument certain des informations qu'il venait de transmettre au président. Cleveland n'avait aucune raison de douter de lui. Après tout, l'agence Pinkerton avait fait ses preuves. C'était elle qui, par exemple, avait empêché une tentative d'assassinat contre le président Lincoln en 1861 et qui avait capturé des hors-la-loi aussi célèbres que Frank et Jessie James et les frères Dalton. Son réseau d'informateurs était incomparable. Cet homme, que l'on surnommait « l'Œil », savait des choses que le président des États-Unis lui-même ignorait! Le slogan de l'agence était d'ailleurs « Nous ne dormons jamais », se rappela Cleveland en souriant.

Cleveland n'avait pas vraiment le choix. Il avait donné carte blanche à Pinkerton. Si ce qu'il disait était vrai, son devoir de président exigeait qu'il aille au fond des choses. Bientôt, si tout se déroulait comme il l'espérait, les États-Unis d'Amérique posséderaient un quarante-cinquième État; un grand territoire plein de richesses naturelles qui augmenterait grandement leur prospérité et leur puissance. Bien sûr, il y avait des risques, mais le jeu en valait la chandelle.

Cleveland alluma son cigare et se remit au travail.

1

OBSERVATION

Montréal, 1er avril 1896.

Le quartier, délimité par les rues Guy, University, Dorchester et Sherbrooke, était le plus riche du Canada. On lui avait même donné un nom : le Mille Carré Doré. Rue Mansfield, les belles demeures à plusieurs étages, en pierre grise et en brique, s'alignaient derrière les grands arbres qui bordaient les trottoirs. Elles étaient éclairées par des lampadaires au gaz de la *Montreal Gas Company* et par la lune, dont la lumière semblait toujours plus belle au début du printemps. Il était presque minuit. Depuis longtemps, les bons bourgeois s'étaient mis au lit.

Seule la fenêtre du numéro 77 était encore éclairée. Dissimulé par les lourdes tentures de velours bourgogne, un homme était assis derrière une luxueuse table de travail en acajou. Petit de taille, le crâne dégarni, les cheveux blancs, il avait le visage orné d'une grosse moustache et de favoris en broussaille. Malgré l'heure tardive, il était sévèrement vêtu d'un veston et d'un pantalon noirs agrémentés d'un gilet gris et d'une chemise d'un blanc immaculé. Son cou était enserré par une cravate grise soigneusement nouée sur laquelle débordait un collet de chemise en pointe. Une petite épingle à cravate en diamant tranchait sur l'austérité de son habillement et lui ajoutait une touche d'élégance.

Avocat et homme d'affaires, Louis-François-George Baby avait été ministre dans le cabinet de John A. Macdonald, le premier à occuper le fauteuil de premier ministre du Canada en 1867. Mais la politique n'était vraiment pas pour lui. En 1881, on l'avait nommé juge de la Cour du Banc de la Reine. Depuis lors, tout le monde l'appelait «le juge Baby». Il avait sagement investi son argent et possédait plusieurs propriétés qu'il louait et quelques commerces qu'il administrait avec prudence. Il avait assez bien réussi pour vivre dans le Mille Carré Doré, parmi les hommes d'affaires et politiciens anglophones. Il était devenu un des Canadiens français les plus influents de Montréal — et même du Canada!

Mais tout ça n'avait pas beaucoup d'importance à ses yeux. Ce qui l'intéressait vraiment, c'était sa précieuse collection. Il avait consacré une grande partie de sa vie à acquérir des objets rares qui rappelaient un grand événement, des documents signés de la main de personnages importants, des tableaux qui les représentaient. Au total, il possédait plus de vingt mille objets. Avec ces usines qui poussaient un peu partout et les quartiers ouvriers qui s'étendaient toujours, on détruisait ce qu'il y avait de plus ancien pour le remplacer par des édifices sans âme dans lesquels s'entassaient des familles miséreuses. Bientôt, il ne resterait plus rien du passé! Quelqu'un devait bien le préserver!

La petite lampe à huile posée sur le coin de la table éclairait un indescriptible fouillis. Les murs du bureau étaient recouverts pêle-mêle de portraits, de gravures et de cartes. Des meubles vitrés étaient remplis de toutes sortes de curiosités. Des bibliothèques ployaient sous le poids d'objets, de sculptures, de maquettes et de gros livres reliés en cuir et agrémentés de dorure. Des journaux et des documents anciens s'accumulaient sur le bureau, par terre le long des murs, sur les fauteuils.

Le lendemain, le juge dirait adieu à plusieurs de ses précieux objets. Il avait accepté de donner une partie de sa collection au nouveau Musée du Château Ramezay. Le samedi suivant, toute la haute société montréalaise

13

allait assister à l'inauguration du Musée. Pour le vieux magistrat, ce serait le couronnement d'années d'efforts. Il avait soigneusement sélectionné des portraits à l'huile, au fusain et au crayon parmi les plus beaux qu'il possédait, une centaine de documents d'archives, des livres, des autographes de personnages célèbres, des photographies de lieux anciens, des monnaies très rares et des objets précieux. Il les avait choisis afin qu'ils retracent l'histoire de la Nouvelle-France, mais aussi celle du siècle actuel. À ses yeux, Canadiens français et Canadiens anglais partageaient la même histoire.

Tous les objets étaient déjà dans des caisses, prêts à être emportés. Juste à y penser, le juge Baby en avait un pincement au cœur. Le vieil homme retira son pince-nez et se frotta les yeux avec lassitude. C'était pour une bonne cause, se redit-il pour la millième fois. Dans son testament, il avait déjà prévu qu'à sa mort, le Musée et l'Université de Montréal hériteraient de plusieurs autres objets et de ses livres. Ainsi, sa collection serait préservée pour la postérité. Mais c'était quand même affreusement difficile. Il aimait profondément chacune de ces antiquités et connaissait les moindres détails de leur histoire. Pour lui, ils étaient beaucoup plus que de simples choses. Ils avaient un sens, une âme. Le juge avait l'impression qu'on lui arrachait un membre.

Un craquement le fit sursauter. Il se leva péniblement, prit sa canne et se dirigea vers la fenêtre. Il écarta les tentures, jeta un coup d'œil à l'extérieur et se raidit. L'espace d'un instant, il lui sembla percevoir un mouvement dans les buissons près de la maison. Puis, plus rien. Le juge soupira en secouant la tête. Sans doute un chat... Il était si tendu qu'il imaginait des choses... Non. Le sommeil ne viendrait pas cette nuit, s'avoua-t-il en soupirant. Une fois le Musée inauguré, il allait se contenter de prendre soin de son jardin de fleurs et de correspondre avec d'autres hommes de lettres, décida-t-il. À soixante-trois ans, il avait bien mérité un peu de repos.

L'individu était immobile. Il s'était presque fait prendre. À force de surveiller la maison, il devenait imprudent. Il était impardonnable de briser ainsi une branche, se réprimanda-t-il mentalement. Le vieux boitait peut-être, mais il avait encore de bonnes oreilles. Il attendit que la lumière s'éteigne dans le bureau avant de se rapprocher de la maison, puis recommença à faire le guet. Au matin, quelqu'un viendrait le remplacer.

Il était presque cinq heures. Le soleil se levait à peine, mais le juge Baby, qui n'avait pas dormi de la nuit, était assis dans son bureau, déjà prêt à partir. Dans une heure environ, Jeanne, la vieille bonne fidèle qui faisait presque partie des meubles, se lèverait pour préparer le déjeuner. Comme d'habitude, Godefroy mangerait en vitesse pour filer au collège et Marie-Hélène Berthelet, que tout le monde appelait «Madame le juge Baby», passerait la matinée à s'occuper d'une des nombreuses œuvres charitables dans lesquelles elle s'investissait.

Fébrile, le juge n'en pouvait plus d'attendre. Aussi bien en finir, décida-t-il. Il se leva et empoigna sa canne, appuyée contre sa table de travail. Avec les rhumatismes qui le faisaient souffrir depuis quarante longues années, il maudissait intérieurement cette chose chaque fois qu'il devait se déplacer, mais il lui était indispensable. En claudiquant, il sortit de son bureau, traversa la cuisine et se rendit dans les quartiers des domestiques. Il donna trois coups de canne brusques contre la porte de la chambre de son cocher.

— Alphonse! Réveillez-vous! tonna-t-il.

Un grognement puis un froissement de drap se firent entendre. Quelques secondes plus tard, un homme dans la jeune quarantaine, vêtu d'une chemise de nuit qui lui descendait à mi-jambe, les yeux bouffis de sommeil, ouvrit la porte. Les épaules carrées, la nuque massive, les jambes grosses comme des troncs d'arbre, Alphonse Métivier était un véritable colosse.

— Monsieur? demanda-t-il, hébété, en ébouriffant ses cheveux bruns en bataille où perçaient quelques mèches grises.

— Habillez-vous, ordonna le juge d'un ton qui interdisait toute réplique. Nous allons au Château Ramezay. Attelez le carrosse et chargez-y les caisses qui sont près de la porte. Je vous attendrai devant la maison.

— Bien, monsieur... soupira le cocher.

Le juge Baby s'éloigna en boitant, le bruit de ses pas et de sa canne brisant le silence de la maison endormie. Les bras pendants, Alphonse soupira de nouveau. Depuis qu'il était entré au service du magistrat, en février dernier, il en avait vu de toutes les couleurs. Le vieil homme semblait incapable de tenir compte de l'heure. Si l'envie lui prenait de partir en pleine nuit pour aller examiner un objet ancien dont il avait entendu parler, il n'hésitait pas à réveiller le pauvre proprié-taire ahuri et à entreprendre avec lui des discussions au sujet d'une vente éventuelle. Et, évidemment, lorsque le patron se dépla-çait, son cocher le faisait aussi…

Alphonse savait bien que rien ne pouvait faire entendre raison à monsieur le juge quand il était dans cet état. En grommelant, il rentra dans sa petite chambre et prit ses vêtements dans l'armoire de bois qui lui servait de garde-robe. Il enfila son pantalon par-dessus sa chemise de nuit, mit ses bottes et passa son paletot. Il soupira encore en secouant la tête, se rendit dans la cuisine, alluma un fanal et sortit préparer le carrosse. Durant la demi-heure qui suivit, suant à grosses gouttes dans la fraîcheur matinale, il y chargea une à une les lourdes caisses de bois qui étaient empilées près de la porte de la cuisine.

Une fois la tâche accomplie, le juge Baby sortit de la maison et prit place à l'intérieur du luxueux carrosse noir à grandes roues que l'on appelait *brouhgam*. Alphonse s'ins-talla sur le siège du conducteur, remonta son collet contre son visage en frissonnant et fit claquer son fouet.

— Avance, vieille carne, maugréa-t-il en donnant des coups secs avec les guides de cuir.

Martha, la vieille jument, se mit lentement en marche, comme pour protester de devoir travailler à une heure si matinale. Le carrosse s'éloigna dans la rue Mansfield.

Tapi dans les buissons près de la maison, l'homme observait la scène. Les objets étaient en chemin vers le Château Ramezay. Il était trop tard. Les choses venaient de se compliquer. Lui et ses collègues allaient devoir prendre des risques, mais il s'agissait d'une occasion en or. S'ils réussissaient, la récompense ferait d'eux des hommes riches. Il attendit que le carrosse disparaisse au bout de la rue Mansfield et se mit en marche. Il devait avertir immédiatement les autres.

Le carrosse s'engagea à gauche, rue de La Gauchetière. Le menton appuyé dans le creux de la main, le juge Baby regardait distraitement défiler les maisons au son des roues sur la terre bien tassée des rues. Nostalgique, il songeait aux événements des dernières années, qui avaient mené à la réalisation de son grand projet de musée. Depuis plus de trente ans, il était membre de la Société d'archéologie et de numismatique de Montréal, qui collectionnait les objets anciens. Et, depuis 1884, il en était le président.

En chemin, rue de Bleury, le juge Baby se remémora ce jour de 1891 où l'on avait appris que le Château Ramezay, l'ancienne demeure du gouverneur de Montréal, allait être démoli. Le gouvernement provincial avait décidé de raser un des joyaux de l'histoire nationale pour faire place au chemin de fer! Le juge s'était démené comme un diable dans l'eau bénite pour sauver l'édifice. En 1895, la Société en était devenue locataire et, en un an, le projet de musée s'était concrétisé. Les collectionneurs les plus connus du Canada avaient accepté de donner des objets qui allaient s'ajouter à la collection, déjà riche, de la Société. Le juge Baby était le dernier à apporter ses objets.

Les sabots de Martha résonnaient sur le sol et soulevaient un peu de poussière. Le carrosse emprunta les rues Saint-François-Xavier, Saint-Sulpice, Saint-Jean-Baptiste,

Saint-Gabriel puis Saint-Vincent. Le cocher arrêta finalement le véhicule devant le Château Ramezay, au coin de la rue Saint-Claude.

2

DISPARITION

Le juge sortit du carrosse en grognant. La fraîcheur du matin n'améliorait en rien pour ses rhumatismes. Les fenêtres du Château étaient illuminées. McLachlan était sans doute déjà au travail, pensa le vieil homme en souriant. Devant l'arche de pierre surmontée de deux globes de métal poli qui donnait accès au terrain du Château, le juge observa affectueusement le bâtiment. Depuis 1705, il avait survécu à tous les changements qui avaient façonné Montréal. Encerclé par une clôture de fer forgé, il s'élevait modestement sur deux étages. Sa toiture en pente, recouverte de bardeaux de bois et percée de lucarnes, surplombait des murs de pierre massifs percés de deux portes et de six fenêtres sur l'avant. Devant, trois grands peupliers le dominaient majestueusement.

La voix d'Alphonse sortit le magistrat de sa rêverie.

— Monsieur ? Je rentre les caisses ?

— Ah oui, bien sûr, les caisses…

Le juge soupira en posant un regard nostalgique sur ses précieux objets qui le quittaient.

— Attendez. Je vais aller me faire ouvrir.

Il s'engagea sous l'arche et marcha jusqu'à la petite galerie qui donnait accès à la porte principale. Il frappa avec le pommeau de sa canne et attendit. À l'intérieur, des pas résonnèrent sur le vieux plancher de bois, suivis d'une voix impatiente.

— *Yes, yes… What is it? I'm trying to work here*[1]!

La porte s'ouvrit brusquement. Un grand homme mince au crâne dégarni, la cravate dénouée sur un col de chemise déboutonné, se tenait dans l'embrasure, son énorme moustache frémissant par-dessus une barbe taillée avec soin. Il faillit avaler sa langue en constatant à qui il avait ouvert.

— *Oh dear… Mister President… Your Honour*[2]… balbutia-t-il. Veuillez m'excuser. J'ignorais que vous viendriez si tôt. *I'm so terribly sorry… Come in, come in.*

1. Oui, oui… Qu'est-ce que c'est? J'essaie de travailler, moi!
2. Mon Dieu… Monsieur le Président… Votre Honneur… Je suis terriblement désolé… Entrez, entrez.

— Cher McLachlan. Ne vous en faites pas, répliqua le juge en souriant. Je suis un peu en avance. J'aurais dû m'annoncer.

Robert Wallace McLachlan, le conservateur du Musée, prenait son rôle très au sérieux. C'est à lui que revenait la responsabilité d'aménager l'exposition, de disposer les objets avec goût et de voir à ce qu'il n'y ait aucune erreur. Depuis un mois, il y consacrait presque tout son temps et il n'était pas rare qu'il passe la nuit au Musée. Il s'écarta respectueusement. Il s'étira le cou pour mieux regarder Alphonse s'approcher avec la première caisse.

— Ah! Voici enfin vos merveilleux objets! s'écria-t-il en se frottant les mains de plaisir. *Jolly good*[1]!

— Il fallait bien que je finisse par m'en défaire… se raisonna le juge.

Les deux hommes se tenaient dans un petit hall presque vide du Château. De chaque côté, des portes donnaient sur des salles plus grandes où serait logée l'exposition permanente. Derrière eux, le cocher peinait, une grosse caisse dans les bras.

— Où je la mets? grogna-t-il, les dents serrées par l'effort.

1. Excellent!

— Là, répondit McLachlan en désignant un coin de la pièce.

Pendant que le conservateur et le juge discutaient, Alphonse empila toutes les caisses dans la pièce. Il se plaça à quelques mètres du juge en s'essuyant le front avec un gros mouchoir rouge et attendit.

— Ça ira, Alphonse, finit par dire le juge en s'arrachant à la contemplation un peu triste des caisses. Vous pouvez retourner à la maison. Revenez me chercher vers dix-sept heures trente.

— Très bien, monsieur, murmura Alphonse.

Godefroy Coffin se leva à sept heures, comme tous les matins. Il s'était lavé à la sauvette devant le lave-mains sur lequel Jeanne avait posé un pot d'eau fraîche, un bassin en faïence et une serviette en lin. Sur une chaise, l'uniforme du collège Sainte-Marie l'attendait, méticuleusement plié. Il enfila distraitement son pantalon, sa chemise, ses chaussettes et ses chaussures.

Godefroy n'avait jamais connu ses vrais parents. Marie-Hélène Berthelet et le juge Baby étaient les seuls qu'il ait jamais eus. Ils s'étaient mariés sur le tard et n'avaient pas pu avoir d'enfants. Sa mère adoptive lui avait souvent dit tout le bonheur que son mari et elle avaient éprouvé lorsqu'ils l'avaient adopté. Godefroy adorait sa mère. Il aimait aussi beaucoup son père adoptif, qui était en fait son arrière-petit-cousin. Mais l'homme était cassant, intimidant, et Godefroy n'avait jamais pu se résoudre à l'appeler « papa ». Au collège, ses compagnons de classe trouvaient étrange de l'entendre le désigner comme « le juge ». Mais malgré la distance qui les séparait, Godefroy savait apprécier la générosité de l'homme qui, à sa manière un peu bourrue, l'aimait comme son propre fils.

Godefroy s'examina dans la glace en revêtant son veston. À treize ans, bientôt quatorze, il était grand et mince. Les cheveux presque noirs séparés au milieu, le menton pointu, le nez fin, il ressemblait à s'y méprendre aux Coffin de l'album de photographies de sa mère. Godefroy avait déjà une bonne idée de ce qu'il allait faire de sa vie. Il deviendrait avocat, comme le juge. En attendant, comme tous les garçons de son âge, il rêvait d'aventures palpitantes du genre de celles de l'oncle Alfred Baby. Souvent, lorsque toute la famille était attablée pour le souper, le magistrat pestait contre son « bon à rien» de frère cadet, qui était incapable de garder un emploi et toujours sans le sou. L'oncle Alfred disparaissait pendant de longs mois sans donner de nouvelles, à la recherche d'un moyen de gagner beaucoup d'argent sans vraiment travailler. Puis, il refaisait surface, piteux, et quémandait à son frère des sommes énormes «juste pour se remettre à flot». Plus souvent qu'autrement, c'est le juge qui le faisait vivre et on le considérait comme le raté de la famille. Mais il était heureux et libre, l'oncle Alfred. Il avait visité l'Europe et les États-Unis en long et en large. Il avait même cherché de l'or en Californie! Évidemment, il n'en avait pas trouvé…

Godefroy ajusta sa cravate et sortit de sa chambre. Il descendit l'escalier deux marches à la fois et atterrit dans le hall d'entrée. De la cuisine, l'odeur du déjeuner lui titilla les narines et il s'y rendit avec entrain. À la table, sa mère, déjà vêtue d'une jolie robe verte, les cheveux coiffés en chignon, mangeait en discutant avec Jeanne. Elle devait parler fort pour se faire entendre de la bonne, qui était un peu dure d'oreille, mais ne s'en formalisait pas. Elle avait l'habitude.

— Bonjour, maman, dit Godefroy en entrant. Vous avez bien dormi?

— Tiens. Te voilà, toi? dit-elle en se retournant, le visage éclairé par un large sourire. Dépêche-toi. Tu vas être en retard.

Tous les matins, c'était le même refrain. Godefroy s'attabla en souriant et Jeanne déposa aussitôt devant lui deux épaisses tranches de pain grillé beurrées et un petit bol de confiture. La vieille bonne portait son éternelle robe noire sous un tablier blanc orné de broderie et un petit bonnet de dentelle sur la tête. Ses longs cheveux gris étaient séparés en deux tresses qui retombaient sur ses épaules.

— Où est le juge? demanda Godefroy à sa mère.

— Qui?

— Papa… se reprit Godefroy en roulant des yeux.

— Il est déjà parti déposer ses objets au Château Ramezay, répondit sa mère. Il m'a laissé une note pour me dire qu'il serait de retour vers dix-huit heures. J'espère qu'il ne sera pas en retard. Nous sommes attendus chez les McGillivray à dix-neuf heures.

— Ah… C'était le grand jour aujourd'hui, s'exclama Godefroy à la blague. Il va se séparer de ses bébés!

— Godefroy, soupira sa mère en feignant de le gronder. Ne ridiculise pas ton père comme ça. Sa collection est importante pour lui. Allez. Finis tes rôties et cours au collège.

Godefroy avala en vitesse ses dernières bouchées, embrassa sa mère à la hâte et sortit. Une fois qu'il fut dans la rue, sa bonne humeur s'évapora. Il venait de se rappeler que la journée de classe commencerait par un examen d'histoire. Comme d'habitude, il avait oublié d'étudier…

Dans un entrepôt désaffecté de la rue de la Commune, à quelques pâtés de maisons du Château Ramezay, trois hommes discutaient ferme des récents développements. Ils devaient agir dès ce soir. Sinon, toute l'opération deviendrait très compliquée. L'un d'eux versa du café fort et noir dans des tasses. Après trois jours et trois nuits à surveiller à tour de rôle cette maudite maison sans jamais avoir l'occasion d'y entrer, ils en avaient bien besoin.

La journée s'était déroulée sans trop d'anicroches. Godefroy s'en était bien tiré avec l'examen d'histoire. Il faut dire qu'il connaissait les Rébellions de 1837-1838! Le juge lui en avait tellement parlé! Ensuite, il avait eu des cours de grammaire, de rhétorique, de calcul et de catéchisme. Le frère Marcel, toujours à l'affût du moindre murmure en classe, avait fait sa colère quotidienne et Godefroy en avait été quitte pour quelques coups de règle sur les doigts et une copie au tableau: cent fois la phrase «je garderai le silence en classe». Bref, une journée normale…

De retour à la maison, il s'était enfermé dans sa chambre pour faire ses devoirs. Il devait rédiger une dissertation sur les sept péchés capitaux. Il s'appliqua énormément. Le frère Firmin ne rigolait pas avec le péché! Comme sa mère et le juge étaient invités à l'extérieur ce soir, il ne mangerait pas dans la salle à dîner mais dans la cuisine, avec Jeanne et Alphonse. Lorsqu'il descendit pour souper, vers dix-huit heures trente, sa mère faisait les cent pas dans le hall d'entrée, du feu dans les yeux.

— Qu'est-ce qui se passe, maman? demanda Godefroy. Vous avez l'air contrarié.

— Ton père! explosa-t-elle. Il vient de retourner Alphonse en lui disant qu'il allait travailler toute la nuit au Musée! Tu te rends compte? Nous sommes invités chez les McGillivray et il préfère la compagnie de ses vieilleries! Je ne vais quand même pas me présenter là sans être accompagnée. De quoi aurais-je l'air?

— Voyons, dit Godefroy, le sourire narquois. Ne ridiculisez pas mon père comme ça. Sa collection est importante pour lui…

Madame Baby ne put s'empêcher de sourire. Elle lui passa le bras autour des épaules et l'entraîna vers la cuisine.

— Allons voir ce que Jeanne a préparé de bon. Une fois que le Musée sera inauguré, ton père finira bien par penser à autre chose. En attendant, je suppose que je vais consacrer la soirée à ma broderie.

Les trois hommes sortirent de l'entrepôt et se mirent en marche vers la rue Notre-Dame. Une fois dans le Musée, ils finiraient bien par trouver ce qu'ils cherchaient. En bons professionnels, ils n'étaient pas nerveux. Ils avaient l'habitude de ce genre de chose.

Godefroy avait l'impression qu'il venait à peine de se mettre la tête sur l'oreiller lorsque la sonnette de la porte d'entrée le tira de son sommeil. L'esprit embrumé, il regarda l'horloge sur le mur. Cinq heures quinze. Mais qui pouvait bien insister comme ça à une heure pareille ?

Il entendit Jeanne traverser le hall d'entrée. Le bruit de la serrure de la porte fut suivi d'un grincement. Une voix masculine dit quelque chose que Godefroy n'arriva pas à entendre clairement. Jeanne monta aussitôt à l'étage. On frappa à une porte et les voix de la bonne et de madame Baby, remplies d'urgence, s'entremêlèrent. Puis les deux femmes descendirent au rez-de-chaussée. Intrigué par ce remue-ménage inhabituel, Godefroy tendit l'oreille pour savoir ce qui pouvait bien se passer de si bonne heure.

— Mon Dieu ! s'écria soudain sa mère.

Godefroy, tout à coup parfaitement réveillé, sauta hors du lit, descendit l'escalier en catastrophe et fit irruption dans le hall d'entrée en chemise de nuit. Sa mère, toute pâle, un châle passé à la hâte sur sa robe de chambre, tenait une main tremblante sur sa bouche. À ses côtés, Jeanne, les yeux écarquillés, se signait sans cesse. Dans l'embrasure de la porte, un homme vêtu d'un manteau bleu marine qui lui allait au genou et coiffé d'un képi de la même couleur se tenait bien droit, un fanal à la main, l'air contrit.

— Je suis vraiment désolé, madame, dit-il. Si vous voulez bien vous rendre sur les lieux le plus vite possible, l'inspecteur Ménard aimerait vous parler.

Il toucha la visière de son képi de l'index en inclinant respectueusement la tête et se retira. Tremblante, la mère de Godefroy referma la porte.

— Que se passe-t-il? demanda Godefroy, la gorge serrée.

Sa mère ne répondit pas. Elle posa sur lui un regard vide rempli de frayeur.

— Maman? insista Godefroy. Qu'est-ce qu'il y a? Je vous en prie, parlez.

— Ton père, finit par balbutier sa mère. Il a disparu.

3

MYSTÈRE

Godefroy et sa mère s'étaient habillés à toute vitesse et avaient rejoint Alphonse, qui avait déjà préparé le carrosse. Jeanne avait été chargée de faire porter au directeur du collège un mot expliquant l'absence de Godefroy.

Le cocher les conduisit dans les rues encore désertes jusqu'au Château Ramezay. Aussitôt arrivés, ils coururent vers la porte et entrèrent sans frapper. Il n'était que six heures, mais le hall grouillait de monde et, pendant un long moment, personne ne remarqua leur présence. Des policiers en uniforme inspectaient les lieux. Les caisses déposées la veille par Alphonse étaient ouvertes et leur précieux contenu gisait pêle-mêle sur le plancher. Atterrés par la disparition du juge, tous les membres du conseil de la Société d'archéologie et de numismatique étaient sur place. Rouer Roy, vice-président, et De Léry Macdonald, secrétaire, discutaient avec les policiers. Henry Tiffin, lui aussi vice-président, les aperçut en premier. Costaud et chauve, la barbe poivre et sel, l'œil sombre sous des sourcils épais, il joua du coude et parvint à madame Baby, l'air catastrophé.

— Ma pauvre madame le juge! Quelle tragédie! répétait-il sans cesse en tapotant la main de la mère de Godefroy de ses gros doigts.

— Mais pourquoi quelqu'un voudrait-il enlever mon George? demanda madame Baby d'une voix étranglée. Il n'a jamais fait de mal à qui que ce soit. Il n'a pas d'ennemis.

Un homme élégant vêtu d'un complet brun se détacha d'un groupe de policiers qui allaient et venaient comme des fourmis et se dirigea vers madame Baby. Il portait une petite moustache cirée frisée avec précision vers le haut, les cheveux laqués soigneusement séparés au milieu et un nœud papillon au col de sa chemise. Dans sa main gauche, il tenait son chapeau contre son abdomen.

— Vous êtes l'épouse de monsieur le juge Baby, je présume? Je suis l'inspecteur Ménard. Elphège Ménard.

— Inspecteur… Comment… Pourquoi?…

Un cri fit sursauter tout le monde. Dans un coin, assis sur une chaise, McLachlan tenait une serviette humide sur sa tête et gesticulait fiévreusement de sa main libre.

— *Oh God! Oh dear*[1]! Regardez où vous mettez les pieds! Vous avez presque marché sur une monnaie ancienne! s'écria-t-il. Cette pièce est *invaluable*[2]!

L'inspecteur roula des yeux exaspérés en soupirant et ramena son attention sur la mère de Godefroy.

— Pour le moment, tout ce que nous savons, c'est que trois hommes sont entrés par effraction tard hier soir. Monsieur McLachlan les a pris sur le fait et ils l'ont assommé — un bon coup de garcette, à en juger par la bosse qu'il a sur le crâne. Lorsqu'il est revenu à lui, les caisses avaient été fouillées et le juge avait disparu. Monsieur McLachlan nous a aussitôt alertés et, depuis, nous passons l'endroit au peigne fin.

— Mais pourquoi? répéta madame Baby.

L'inspecteur haussa les épaules, hésitant.

— Une seule pièce était éclairée à l'arrière. Je serais porté à croire que les cambrioleurs n'avaient pas prévu qu'il y aurait quelqu'un sur les lieux. Mais ça n'explique pas la disparition de monsieur le juge.

Il fit distraitement rouler sa moustache entre son pouce et son index, et reprit.

---

1. Mon Dieu! Seigneur!
2. Inestimable!

— À votre connaissance, y avait-il quelque chose de précieux dans ces caisses?

— Des documents et des objets anciens précieux pour un collectionneur, mais qui ne rapporteraient pas une fortune si on les revendait.

— Savez-vous si votre mari devait rencontrer quelqu'un hier soir?

— Pas que je sache. Il avait décidé de travailler toute la nuit sur l'exposition. Alphonse devait passer le prendre ce matin.

— Vous avez remarqué quelque chose d'anormal dans le comportement de votre mari?

— Non. Rien qui sorte de l'ordinaire.

— Bon… dit l'inspecteur, l'air perplexe. Je vous suggère de rentrer chez vous. Voici ma carte, ajouta-t-il en lui tendant un petit bout de carton blanc. Si vous pensez à quoi que ce soit, n'hésitez pas à m'en avertir. De mon côté, je vous aviserai du moindre développement. Je vais laisser un policier devant le Château en permanence. Si vous n'avez pas d'objection, j'aimerais aussi en poster un devant votre domicile pour assurer votre protection jusqu'à ce que nous y voyions plus clair.

— Merci, monsieur l'inspecteur, mur-mura madame Baby d'une voix à peine audible. Vous êtes bien aimable…

Godefroy n'y tenait plus. La question jaillit de sa bouche avant qu'il puisse l'arrêter.

— Vous croyez que le juge est… mort?

L'inspecteur hésita, mal à l'aise, en se lissant la moustache entre le pouce et l'index. Il s'approcha de Godefroy et vrilla ses yeux dans les siens.

— S'il est vivant, je te le ramènerai, répondit-il. Je te le promets.

Godefroy se retourna sans rien dire et ouvrit la porte pour sa mère. L'un après l'autre, ils sortirent.

Perdus dans leurs pensées, Godefroy et sa mère réalisèrent que le carrosse conduit par Alphonse s'était arrêté devant la maison. Ils descendirent comme des automates sans rien dire. La vieille Jeanne les accueillit avec un air accablé. Le visage encore plus pâle que de coutume, elle s'affaira autour de sa maîtresse.

— Pauvre madame, balbutiait-elle sans cesse. Pauvre, pauvre madame. Ma foi du bon Dieu. C'est-tu pas terrible… Ils vont le retrouver, toujours, hein, notre bon monsieur le juge ? Je peux vous servir quelque chose ? Un thé chaud, peut-être ? Ou un petit verre de sherry ?

— Non, répondit madame Baby, les yeux fixés sur un point invisible à l'horizon. Ça ira, Jeanne. Merci.

La bonne aida madame Baby, complètement abasourdie, à s'asseoir dans un grand fauteuil du salon. Elle lui posa les jambes sur un tabouret et les recouvrit d'une couverture en laine écossaise. Après avoir placé délicatement un petit coussin derrière sa tête, elle disparut vers la cuisine. Quelques minutes plus tard, malgré le refus initial de sa maîtresse, elle revint avec un plateau sur lequel se trouvaient une théière fumante, une tasse, une soucoupe, un crémier et un sucrier, tous en fine porcelaine anglaise. Sa maîtresse lui exprima sa reconnaissance en souriant tristement. Elle but distraitement une gorgée de thé, puis se remit à fixer le vide.

Toute la maisonnée passa le reste de la journée dans un état de profonde stupeur. Madame Baby n'était sortie de sa torpeur que lorsque l'inspecteur Ménard, escorté d'un policier, était venu lui rapporter qu'il n'y avait rien de nouveau, qu'on enquêtait sans relâche et qu'il ne fallait pas désespérer. La sonnette de la porte retentissait sans cesse. Les nombreux amis de la famille avaient eu vent du drame par le truchement de la Société d'archéologie et de numismatique et s'empressaient de venir lui offrir leur appui. Mais, sur les ordres de sa maîtresse, Jeanne les informait poliment que madame n'était pas en état de recevoir, les remerciait de leur attention et les priait de revenir le lendemain.

Godefroy, lui, s'était retiré dans sa chambre. Il avait laissé couler les larmes qu'il retenait depuis qu'il avait appris la disparition de son père adoptif. Les mains croisées derrière la tête, couché sur son lit, il regardait fixement le plafond. Le cœur gros, il n'arrivait même pas à imaginer la vie sans cet homme, sans le bruit de sa canne sur le plancher, sans la poussière de ses antiquités. À l'heure du dîner, puis du souper, Jeanne avait frappé à sa porte pour lui apporter à manger. Mais Godefroy n'avait pas faim.

Dans l'entrepôt, les trois hommes rageaient. Ils n'avaient rien trouvé. Absolument rien. Pourtant, ils avaient fouillé toutes les maudites caisses! En plus, voilà qu'ils avaient le vieux sur les bras. Ils n'avaient pas eu le choix: il était leur seul lien avec ce qu'ils cherchaient. Mais le bougre était coriace. Ils avaient eu beau le menacer et le secouer un peu, il s'entêtait à prétendre qu'il ne savait rien. Ils allaient devoir le cuisiner...

Godefroy avait fini par s'endormir tout habillé. Dans le rêve qu'il faisait, une main gantée de noir se plaquait sur sa bouche et l'odeur du cuir lui emplissait les narines. Il avait peine à respirer et la panique s'insinuait en lui. On l'entraînait vers l'arrière. Il se débattait de toutes ses forces sans parvenir à se dégager. Au loin, le juge, appuyé sur sa canne, tentait de le rejoindre en boitant, une main tendue vers lui. Un ricanement sinistre semblait fuser de partout à la fois.

Un bruit le tira de son sommeil. Godefroy se redressa sur son lit, haletant et couvert d'une sueur froide. Troublé, il tendit l'oreille dans la pénombre. Des pas sur le gravier dans la cour arrière. Godefroy se leva et entrouvrit le rideau de sa fenêtre. Alphonse, vêtu d'un long paletot sombre dont le col remonté cachait en partie son visage, traversait la cour arrière. Le cocher examina les alentours, l'air de quelqu'un qui veut s'assurer qu'il n'est pas observé, et disparut dans la nuit.

Godefroy regarda l'horloge. Minuit cinq. Où allait donc Alphonse à cette heure? Il ne pouvait pas partir comme ça sans prévenir. Si la police avait besoin de sa mère, qui la conduirait? Il y avait quelque chose de louche là-dedans... Marchant sur la pointe des pieds pour ne pas réveiller sa mère, il descendit au rez-de-chaussée, prit au passage son manteau sur la patère au pied de l'escalier et, arrivé près de la porte de la cuisine, mit rapidement ses bottes.

Il sortit, referma silencieusement la porte pour ne pas alerter le policier qui faisait le guet devant la maison et s'engagea sur les pas d'Alphonse tout en enfilant son manteau. De la rue, il jeta un coup d'œil vers la maison. Bien assis sur une chaise, le policier somnolait, le menton sur la poitrine. Pour la protection, il faudrait repasser...

Godefroy aperçut le cocher à quelques centaines de mètres plus loin, avançant d'un pas déterminé. Il le suivit. Au lieu de prendre les grandes artères, Alphonse utilisait les petites rues, en prenant soin d'éviter la lumière des lampadaires. Plusieurs fois, Godefroy, qui restait bien à l'écart pour ne pas être vu, crut avoir perdu sa trace, mais il parvenait à le localiser grâce au bruit de ses semelles dures dans les rues silencieuses.

Il n'y avait rien à faire. Le vieux était têtu comme une mule et refusait d'admettre quoi que ce soit. Les trois hommes n'avaient pas le choix. Le temps pressait. L'un d'eux allait devoir profiter de la nuit pour retourner au Château Ramezay et le mettre sens dessus dessous s'il le fallait. Les deux autres s'occuperaient de la maison. Ils vérifièrent les liens et le bâillon du vieux et sortirent.

Le cocher émergea de la petite rue Gosford et se retrouva rue Notre-Dame. Juste devant le Château Ramezay! Stupéfait, Godefroy se tapit contre l'hôtel de ville, qui faisait la fierté des Montréalais, de l'autre côté de la rue. De là, il continua d'observer les agissements du cocher.

Devant le Château, un policier posté là par l'inspecteur Ménard faisait les cent pas, les mains dans le dos, allant et venant de la rue Saint-Claude jusqu'à la place Jacques-Cartier. Il était passé une heure du matin et l'agent trouvait visiblement le temps long. Le bâtiment était dans le noir. Malgré l'inauguration qui aurait lieu dans trois jours, monsieur McLachlan devait être resté à la maison pour se remettre du coup qu'il avait reçu sur la tête. La disparition du juge Baby avait probablement aussi mis un frein temporaire à l'enthousiasme des membres de la Société d'archéologie et de numismatique.

Alphonse sembla attendre que le policier s'éloigne vers la place Jacques-Cartier. Il traversa Notre-Dame et se blottit dans la pénombre de la rue Saint-Claude. Sortant une montre de son manteau, il observa les mouvements du policier. *Dis donc, il est riche, le cocher*, songea Godefroy.

Lorsque le policier eut complété quelques allées et venues, Alphonse parut satisfait et rangea sa montre. Il attendit que le policier fasse de nouveau demi-tour et ait dépassé le Château, regarda à gauche, puis à droite et, subrepticement, traversa l'arche de pierre qui se trouvait devant le Château, gravit les marches tout en jetant un coup d'œil furtif aux alentours. Il fouilla dans la poche intérieure de son manteau, en sortit un petit instrument de métal, s'accroupit et se mit à jouer dans la serrure. La porte s'ouvrit et Alphonse s'empressa d'entrer. Le tout n'avait pris que quelques secondes!

Il cambriole le Musée! se dit Godefroy. Était-ce lui qui avait enlevé le juge? Après tout, on ne savait presque rien de lui! Il n'était à l'emploi de la famille que depuis quelques mois!

Godefroy quitta sa cachette, traversa la rue Notre-Dame au pas de course et chercha le policier des yeux.

— Il y a quelqu'un? appela Godefroy.

La rue était complètement déserte.

L'homme traîna le policier inerte derrière un buisson qui longeait la place Jacques-Cartier, le ligota avec sa ceinture, le bâillonna avec son gant de cuir, puis remit sa garcette dans la poche de son pantalon. L'agent serait inconscient pendant quelques heures. Amplement le temps pour lui de fouiller les caisses une à une s'il le fallait. Il se dirigeait vers la rue Saint-Paul lorsqu'il entendit quelqu'un qui appelait tout près. Rageant, il se tapit contre un muret de pierre et attendit que le calme revienne.

○

Godefroy regardait désespérément de tous les côtés. Le policier s'était volatilisé, lui qui était là voilà quelques secondes à peine. Dans les édifices voisins, aucune fenêtre n'était éclairée. Et Alphonse était en train de cambrioler le Musée!

Prenant son courage à deux mains, il s'approcha du perron, craignant à tout instant de voir surgir Alphonse. Il monta prudemment les marches et, une fois arrivé devant la porte, s'étira le cou pour regarder par la fenêtre qui se trouvait à sa droite. Rien.

Avec d'infinies précautions, Godefroy posa la main sur la poignée de métal et appuya doucement sur la clenche, qui s'enfonça. Le loquet se releva. Godefroy entrouvrit la porte, juste assez pour pouvoir y passer la tête et regarder à l'intérieur. Le hall était vide. On avait ramassé le contenu des caisses du juge et on les avait déménagées. Il entra et referma la porte derrière lui le plus discrètement possible. Heureusement, les vieilles pentures avaient été graissées en prévision de l'inauguration du Musée. Elles ne firent aucun bruit.

À l'intérieur, tout était sombre. Il se retrouva dans le hall où sa mère et lui s'étaient entretenus avec l'inspecteur Ménard le matin même. Il prit la porte de gauche et se retrouva dans une grande salle aux murs couverts de portraits accrochés les uns au-dessus des autres en rangées. Des rois, des seigneurs, des évêques et des politiciens des trois derniers siècles semblaient l'observer. Il y avait même un grand portrait du juge Baby! Dans les vitrines qu'il croisait en progressant dans la salle étaient disposés des objets amérindiens, des médailles, des monnaies, des livres, des documents, des sculptures, des maquettes de bateaux, des uniformes militaires et des armes. Çà et là, des meubles anciens complétaient le décor. L'endroit lui parut sinistre.

Au bout de la salle, une porte donnait sur une nouvelle pièce, plus petite. Il entra prudemment. Les murs avaient été décorés de gravures et de dessins, mais les vitrines ouvertes, alignées sur le pourtour de la pièce, attendaient encore d'être remplies.

Un froissement de papier brisa le silence. Godefroy se tendit, immobile. Dans un angle de la pièce, éclairée par la faible lueur d'une chandelle, se dessinait la silhouette d'un homme accroupi fouillant dans une caisse. Les épaules larges, la nuque solide… Aucun doute, c'était Alphonse ! Soudainement, Godefroy comprit tout : le cocher avait enlevé le juge ! Peut-être l'avait-il même tué ! Maintenant, il volait ses objets les plus précieux ! Le mécréant allait sans doute essayer de les revendre à bon prix !

Incapable de contrôler la colère qui montait en lui, Godefroy oublia toute prudence et s'avança vers Alphonse, bien décidé à mettre fin à ses activités. L'idée qu'il se dirigeait sans arme vers un homme adulte, costaud et visiblement pas très honnête ne lui effleura même pas l'esprit. Le cocher, concentré sur le document qu'il avait entre les mains, ne l'entendit pas tout de suite et le garçon put s'approcher jusqu'à une distance de quelques pas. Soudain, avec une agilité féline, Alphonse pivota sur lui-même. De son bras gauche, il balaya les jambes de Godefroy, qui tomba lourdement sur le dos et vit des étoiles. Du même mouvement, le cocher se remit sur ses pieds. De la main droite, il tira de sous son paletot un revolver au long canon qu'il pointa vers Godefroy. Le tout n'avait pas duré plus de deux secondes ! Rien dans l'attitude d'Alphonse ne laissait paraître la moindre nervosité. Ses gestes étaient mesurés et professionnels. Sans quitter des yeux la silhouette allongée, il s'accroupit pour ramasser le bout de chandelle qu'il avait laissé choir sur le plancher.

Certain que son dernier moment était arrivé, Godefroy releva les bras devant son visage pour se protéger du coup de feu qui ne saurait tarder.

— Sale voleur ! hurla-t-il, à la fois furieux et terrifié.

4

VISITE NOCTURNE

Alphonse releva les sourcils de surprise. Il s'avança vers Godefroy et l'éclaira avec la chandelle.

— Godefroy? demanda-t-il d'une voix étonnée. Mais qu'est-ce que tu fais ici, toi?

— Ce que je fais ici? s'exclama le garçon, assis par terre, la voix tremblante de colère et de terreur. J'essaie de t'empêcher de voler les objets du juge. C'est ça que je fais!

Alphonse secoua la tête en laissant échapper un soupir de lassitude. Il abaissa son arme et tendit la main à Godefroy. Le garçon la refusa et se remit seul sur ses pieds.

— Crois-moi, petit, je ne suis pas un cambrioleur, dit Alphonse d'un ton rassurant en rangeant son arme sous son paletot. C'est tout le contraire.

Godefroy ne l'écoutait pas. Il n'entendait que son instinct qui lui hurlait de fuir pour avertir la police. Il se précipita vers la porte, espérant être assez rapide pour gagner la sortie. Il eut à peine le temps de faire trois enjambées qu'Alphonse, vif comme l'éclair, l'encercla d'un bras et le souleva dans les airs, lui plaquant son autre main sur la bouche.

— Calme-toi, petit, et écoute-moi!

Sans le lâcher, Alphonse décolla un peu sa main de sur sa bouche.

— Au secours! hurla Godefroy de toutes ses forces. Au voleur! À l'assassin!

Alphonse lui remit aussitôt sa main sur la bouche.

— Tais-toi, nom d'un chien! Tu veux revoir le juge ou pas?

Godefroy cessa de se débattre. Alphonse le libéra, prêt à le saisir de nouveau s'il se remettait à crier. Godefroy se retourna pour lui faire face.

— C'est toi qui l'as enlevé… déclara-t-il, du venin dans la voix.

— Bien sûr que non, répondit Alphonse avec impatience. Où vas-tu chercher ça?

— Je ne sais pas, répondit Godefroy d'un ton cynique. Peut-être que l'idée m'est venue quand je t'ai vu entrer dans le Château comme un voleur…

— Je ne suis pas un voleur, petit, soupira Alphonse.

— Ah bon? Tu es quoi, alors? cracha Godefroy, tremblant d'indignation.

— Policier.

Godefroy regarda Alphonse, interloqué. Le cocher se tenait devant lui, un insigne de métal à la main.

— Mais… Mais… balbutia-t-il.

Au même moment, un craquement retentit, suivi du bruit d'une porte qui se refermait doucement. Alphonse se mouilla aussitôt le pouce et l'index avec la langue et éteignit la chandelle.

— Chut! dit-il en dégainant son arme.

Silencieusement, il s'approcha de Godefroy.

— Tu connais l'endroit mieux que moi. Il y a une autre sortie quelque part?

— À l'arrière, murmura Godefroy.

Alphonse l'empoigna par le bras et, dans le noir, ils se dirigèrent en silence vers l'arrière du Château. Alphonse sortit ses petits instruments, s'accroupit et, en quelques secondes, crocheta la serrure qui émit un petit déclic. Il entrouvrit la porte et jeta un coup d'œil à gauche, puis à droite. Ne voyant personne aux alentours, il sortit et fit signe à Godefroy de le suivre, puis referma silencieusement. Par la cour arrière, ils rejoignirent la rue Saint-Claude en longeant les murs.

Dans la salle d'exposition, l'homme soupira. Non seulement il devrait fouiller encore toutes les caisses du vieux, mais il lui faudrait aussi examiner chacun des documents qu'il avait donnés au Musée. Même ceux qui étaient déjà dans des vitrines. Heureusement, ceux-là étaient identifiés par des vignettes qui mentionnaient le donateur… Il songea avec envie à ses deux complices. Ce serait certainement plus simple de s'occuper de la femme du juge…

En chemin vers la maison, Godefroy sentait une étrange angoisse lui serrer la poitrine. Des questions se bousculaient dans sa tête pendant qu'il peinait à suivre le rythme d'Alphonse. Qui était l'homme qui habitait sous le même toit que lui depuis février ? Lorsque le magistrat s'était mis à la recherche d'un nouveau cocher après la retraite du vieux Gérard, qui l'avait conduit partout pendant près de trente ans, Alphonse s'était présenté presque aussitôt avec des références impeccables. Le juge avait écrit quelques lettres à ses anciens employeurs pour les confirmer et l'avait engagé dès qu'il avait reçu les réponses. Mais un cocher, ça conduisait un carrosse. Ça ne se promenait pas la nuit en jouant au détective…

Ils marchèrent d'un pas rapide jusqu'à la maison. Alphonse avait refusé de répondre aux questions insistantes du garçon.

— Pour l'amour de Dieu, tais-toi. Je t'expliquerai tout une fois à la maison, s'était-il contenté de dire en observant sans cesse les alentours d'un regard alerte.

Lorsqu'ils arrivèrent à proximité de la maison, Alphonse s'arrêta net et plaça la main sur le torse de Godefroy pour l'immobiliser.

— Qu'est-ce qu'il y a ? demanda Godefroy, angoissé.

Alphonse se contenta de placer son index sur ses lèvres et indiqua la galerie d'un mouvement de la tête. Godefroy suivit son regard. Le policier était affalé sur sa chaise, les jambes bien étendues vers l'avant, son képi par terre près de lui.

— Il dormait déjà quand nous sommes partis, dit Godefroy à voix basse.

— Il ne dort pas. Il a été assommé, répliqua Alphonse en dégainant son arme. Reste près de moi et fais ce que je te dis, d'accord ?

Godefroy déglutit bruyamment, les yeux écarquillés fixés sur le revolver.

— C'est un vrai? demanda-t-il bêtement.

— Colt New Navy, calibre 38, six coups, modèle de cette année. Ça fait de très vilains trous dans les gens. Reste bien derrière moi.

— Avec plaisir…

Alphonse s'engagea dans l'entrée de la maison en prenant soin de rester dans la pénombre. D'un pas félin, il atteignit la galerie arrière sans faire de bruit et monta les marches.

— Attends-moi là, petit, ordonna-t-il à Godefroy.

— T'es fou ou quoi? Rester tout seul dans le noir alors qu'il y a quelqu'un dans la maison? Si tu penses que je vais laisser ma mère sans défense!

Alphonse serra les dents pour contenir sa colère. Le moment était mal choisi pour argumenter. D'un signe de tête contrarié, il l'invita à le suivre. Ensemble, ils pénétrèrent dans la demeure des Baby. Alphonse regarda Godefroy et plaça de nouveau un index sur ses lèvres. Sans dire un mot, son arme toujours dégainée, il s'avança prudemment. Arrivé au pied de l'escalier, il s'arrêta, tendit l'oreille. Avant de monter, il fit signe à Godefroy de l'imiter et gravit les marches une à une en posant le pied tout près du mur pour éviter qu'elles n'émettent des craquements.

Ils arrivèrent à l'étage et s'arrêtèrent une fois de plus. Un gémissement sourd retentit. Alphonse et Godefroy s'avancèrent et en localisèrent la source. Godefroy crut étouffer d'angoisse: cela provenait de la chambre de sa mère! Alphonse, pressentant la réaction du garçon, lui posa une main ferme sur l'épaule et secoua la tête. Il colla l'oreille contre la porte, mit la main sur la poignée et, d'un même mouvement, fit irruption dans la chambre, son arme pointée devant lui.

Tout se passa très vite. Sur le grand lit à baldaquin, Alphonse vit madame Baby qui gisait sur le dos en chemise de nuit, les poignets et les chevilles solidement attachés aux quatre poteaux du lit. Bâillonnée avec un de ses mouchoirs de dentelle, elle se débattait, le regard affolé. Un homme, affairé à fouiller dans les tiroirs, se retourna. Un autre, près du lit, s'élança aussitôt vers Alphonse et lui saisit le poignet pour l'empêcher de pointer son arme. Au terme d'un bref corps-à-corps, Alphonse, vif comme un chat, tordit cruellement le bras de son adversaire. Un craquement sec résonna, suivi d'un hurlement de douleur. Un tiroir traversa la pièce et frappa Alphonse de plein fouet sur le côté de la tête. Sonné, il s'effondra sur le sol.

L'intrus blessé se releva en tenant son bras meurtri et rejoignit son comparse. Ensemble, ils prirent la fuite. Paralysé de terreur, Godefroy les entendit descendre l'escalier quatre à quatre, puis ouvrir la porte arrière.

Godefroy se précipita vers sa mère.

— Maman! s'écria Godefroy. Que s'est-il passé?

Il tira de toutes ses forces sur les liens qui la retenaient prisonnière, mais n'arrivait pas à les défaire. Derrière lui, Alphonse se releva en secouant la tête, ramassa discrètement son arme et la remit dans son manteau. Il s'approcha du lit, un peu étourdi. Il sortit de la poche de son pantalon un gros canif dont il déplia la lame, se pencha sur madame Baby et trancha ses liens. Il enleva ensuite délicatement son bâillon. Libérée, madame Baby se frotta les poignets, puis les chevilles. Se souvenant qu'elle n'était pas seule dans sa chambre, elle rabattit pudiquement les couvertures sur elle, embarrassée. Les yeux hagards et remplis de larmes, les lèvres trem-blantes, elle était d'une pâleur inquiétante et semblait à la limite de l'évanouissement.

La pièce était sens dessus dessous. Le plancher était jonché de vêtements, de papiers et d'objets de toutes sortes. Le contenu des

tiroirs des deux grandes commodes en acajou et de la petite vanité devant laquelle la
femme du magistrat se coiffait avait été
renversé sur le sol.

— Vous n'avez rien, madame? demanda
Alphonse.

— Non… Non… Je ne crois pas, répondit
madame Baby, hésitante, entre deux sanglots
mal retenus.

— Dites-moi ce qui s'est passé, poursuivit Alphonse en lui tendant son mouchoir
pour qu'elle sèche ses yeux.

— Je ne sais pas, balbutia la pauvre
femme. J'avais fini par m'endormir et j'ai été
réveillée par un bruit dans la chambre. Les
deux hommes étaient là. L'un d'eux m'a collé
une main sur la bouche pendant que l'autre
m'attachait. Ensuite, ils m'ont bâillonnée. Ils
ont fouillé partout.

— Ils ont pris quelque chose? demanda
Alphonse.

— Non. Et ça les a mis très en colère. Ils
n'arrêtaient pas de me demander où était
l'Acte. J'étais affolée. Je ne savais pas du tout
de quoi ils parlaient. J'avais si peur qu'ils me
tuent. Mon pauvre petit Godefroy se serait
retrouvé seul.

En disant cela, madame Baby sentit ses
yeux se remplir de larmes et elle ouvrit tout

grand les bras vers son fils adoptif, qui s'y blottit aussitôt.

— Et ces questions, ils vous les posaient en anglais? insista Alphonse.

Madame Baby, qui était parfaitement bilingue, le regarda, interdite.

— Tiens, maintenant que vous le dites... Oui, c'était en anglais.

Sans rien dire, Alphonse haussa un sourcil, l'air entendu.

— Avertis le policier qui monte la garde, vite! implora madame Baby à son fils.

— Ils l'ont assommé, dit Alphonse.

— Alors, il faut alerter l'inspecteur Ménard!

— Pas besoin, interjeta Godefroy. Alphonse est...

— ... arrivé juste à temps, coupa ce dernier en jetant à Godefroy un regard entendu. Je m'occupe de la police, madame. Je vais d'abord aller chercher le docteur Laflamme. En passant, je vais jeter un coup d'œil sur Jeanne.

— Mon Dieu! Ma pauvre Jeanne!

La bonne avait été sauvée par sa surdité. À l'autre bout de la maison, dans sa petite chambre derrière la cuisine, elle dormait à poings fermés. Une fois réveillée, elle accourut auprès de sa maîtresse, pieds nus, les cheveux défaits, un gros châle de laine jeté sur ses épaules par-dessus sa chemise de nuit. En voyant la scène, elle devint pâle et porta une main à sa bouche.

— Madame ! Seigneur ! gémit-elle. Comme si ce n'était pas assez que notre bon monsieur le juge ait disparu ! Mais quels péchés avons-nous commis pour mériter un sort comme celui-là ?

— Va plutôt faire du thé pour madame, Jeanne, suggéra Godefroy. Ça lui fera du bien.

Jeanne tourna les talons et redescendit dans la cuisine.

Le docteur Laflamme était arrivé avec Alphonse vers trois heures trente. Sa trousse de cuir à la main, le vieil homme bedonnant à la grosse moustache blanche s'était assis sur le bord du lit et avait demandé à ce qu'on le laisse seul avec sa patiente. Il était ressorti de la chambre une dizaine de minutes plus tard.

— Elle n'a rien de grave, dit-il à Alphonse. Juste quelques ecchymoses aux poignets qui disparaîtront en quelques jours. Mais elle est en état de choc. Avec les événements récents, elle était déjà très fragile, la pauvre. Je lui ai administré une dose de laudanum pour la calmer. Elle devrait dormir une partie de la journée.

— Et lui? demanda Alphonse en désignant le policier encore sonné, que l'on avait fait asseoir sur le canapé du salon.

— Oh... Ça ira. Il en sera quitte pour une bonne bosse et un mal de tête carabiné.

Alphonse et Godefroy reconduisirent le médecin jusqu'à la porte. Ce dernier hésita un instant.

— Si quoi que ce soit vous inquiète, faites-moi appeler aussitôt, recommanda-t-il en mettant son chapeau.

— Merci beaucoup, docteur, dit Godefroy d'une toute petite voix.

Le vieux médecin sortit, monta dans le carrosse qui l'attendait devant la maison et disparut dans la nuit.

— Reste avec ta mère, ordonna Alphonse au jeune garçon. Je vais chercher l'inspecteur Ménard. Et surtout, ne dis à personne que je suis policier, d'accord? Surtout pas à Ménard.

— Mais... Pourquoi?

— Fais-moi confiance. Lorsque le calme sera revenu, j'aurai beaucoup de choses à t'expliquer.

Il se retourna vers le policier.

— Vous croyez que vous êtes capable de monter la garde quelques minutes sans vous faire assommer? lui demanda-t-il d'un ton plein de sarcasme.

— Euh… Oui, oui… marmonna le policier, embarrassé.

Sans attendre, Alphonse sortit à son tour. Godefroy se retrouva seul dans la nuit qui se terminait.

5

RÉVÉLATION

Alphonse était revenu en compagnie de l'inspecteur Ménard. Il n'était pas encore six heures, mais le policier était frais comme une rose, la moustache parfaitement frisée, les cheveux lissés, le costume impeccable. Avant d'entrer, il houspilla vertement le policier qui était retourné à son poste près de la porte d'entrée.

— Et vous n'avez rien vu? demanda-t-il d'un ton sévère.

— Euh… Non, inspecteur.

— Mais comment est-ce possible? Quelqu'un n'a quand même pas pu s'approcher de vous et vous assommer sans que vous l'entendiez!

— C'est que…

— Que quoi?

— Eh bien…

— Mais parlez, à la fin!

— C'est que je roupillais, monsieur l'inspecteur…

— Je veux vous voir à mon bureau à huit heures précises ce matin.

— Oui, monsieur, dit le policier, penaud, en regardant le bout de ses chaussures.

Ménard lui jeta un regard noir et tourna les talons. Une fois dans la maison, en parfait gentilhomme, il refusa d'abord d'entrer dans la chambre de madame Baby, mais se ravisa lorsqu'il apprit que le docteur Laflamme lui avait administré du laudanum et qu'elle n'était pas en état de se rendre au salon.

L'esprit embrumé par le soporifique, madame Baby raconta l'agression et répondit de son mieux aux questions de l'inspecteur, qui l'écouta attentivement en prenant des notes dans un petit carnet recouvert de cuir.

— Et ces individus, ils n'étaient pas masqués?

— Non.

— Vous pourriez me les décrire?

Ménard nota soigneusement la description de madame Baby dans son calepin.

— Et ils cherchaient un «acte»…

— C'est ce qu'ils disaient.

— Vous savez de quoi ils parlaient?

— Pas du tout.

— Ils sont repartis avec quelque chose?

— Pas que je sache.

— Hmmm… Étrange…

— Surtout, ne me contredis pas, dit Alphonse à Godefroy, à l'écart dans le hall, une fois que l'inspecteur eut refermé derrière lui la porte de la chambre.

— Tu veux mentir à la police? s'exclama Godefroy, indigné.

— Pas si fort! murmura Alphonse. Je *suis* la police. Fais ce que je te dis. Je t'expliquerai après.

Lorsqu'il sortit de la chambre de madame Baby une demi-heure plus tard, l'inspecteur Ménard s'assit dans un des fauteuils à haut dossier du salon, admirant distraitement le bon goût des occupants qui avaient décoré la pièce de belles tables basses en acajou, de lourdes tentures de velours vert bordées de dentelle dorée, de superbes tableaux et de nombreux bibelots qui semblaient occuper la moindre surface libre.

Il se tourna vers Alphonse.

— Dites-moi comment vous vous êtes aperçus qu'il se passait quelque chose de pas catholique?

— J'ai été réveillé par un bruit, mentit Alphonse sans broncher. Ça venait de l'étage. Il devait être autour de trois heures. Je me suis levé et je suis monté. Lorsque je suis entré dans la chambre de madame, un des deux types m'a sauté dessus et l'autre m'a lancé un tiroir, ajouta-t-il en frottant la bosse qu'il avait sur le crâne. Je n'ai pas eu le temps de réagir. Ils se sont enfuis avant que je ne retrouve mes esprits. Vous connaissez la suite : j'ai été chercher le médecin, puis je me suis rendu vous avertir.

— Bon... fit Ménard avant de tourner un regard perçant vers Godefroy.

— Et toi, jeune homme ?

— Quoi, moi ?

— Tu as quelque chose à ajouter ?

— Euh... Non.

— Où étais-tu quand c'est arrivé ?

— Euh... Je dormais, monsieur l'inspecteur. Le bruit m'a réveillé.

— Et c'est avec Alphonse que tu as découvert ta mère, c'est ça ?

— Oui, monsieur.

— Et la bonne ? Elle était là ?

— Non, monsieur. Elle dormait. Elle est sourde comme un pot.

— Dis-moi, petit, pourquoi personne n'a averti la police tout de suite ?

— Ben... Ma mère n'était pas bien. Il fallait d'abord prévenir le docteur Laflamme. Lorsque tout a été plus calme, Alphonse a été vous voir.

— Hmmm… fit l'inspecteur. Bizarre…

— Quoi donc? demanda Alphonse.

— Que dans la même nuit, la maison du juge reçoive la visite de cambrioleurs qui cherchaient visiblement quelque chose de précis et que l'agent que j'avais posté au Château Ramezay ait été assommé, lui aussi, et ligoté.

— Au Château? Ils ont volé quelque chose? s'enquit Alphonse en essayant de ne pas avoir l'air trop intéressé.

— Aucune idée. Les caisses ont encore été fouillées, quelques vitrines ont été ouvertes, mais sans l'aide du juge, il est pratiquement impossible de déterminer s'il manque quelque chose. L'agent a retrouvé la porte ouverte. L'intrus a pris la fuite par derrière.

— Vous croyez qu'il y a un lien entre les deux événements? interrogea de nouveau Alphonse.

— On dirait bien. Si le juge avait été simplement kidnappé, il me semble qu'après deux jours, sa famille aurait reçu une demande de rançon… Par contre, si, sans le savoir, il était en possession de quelque chose de précieux pour ceux qui l'ont enlevé, ça expliquerait qu'on ait fouillé le Musée et la maison, et qu'on ait interrogé ainsi madame son épouse, vous ne croyez pas? dit-il en roulant distraitement une pointe de sa moustache entre ses doigts.

— Je ne sais pas, inspecteur, répondit Alphonse en haussant les épaules. Je suis juste cocher, moi.

— Oui, bien sûr…

L'inspecteur se leva et se dirigea vers la sortie. Avant de prendre congé, il se retourna vers Alphonse.

— Si vous vous souvenez de quoi que ce soit, avertissez-moi tout de suite, monsieur…

— Métivier. Alphonse Métivier.

Ménard le dévisagea un instant, l'air perplexe.

— Je ne vous aurais pas déjà vu quelque part, monsieur Métivier? Votre visage me semble familier.

— Ça m'étonnerait, répondit Alphonse d'un ton surpris.

— Vous travaillez pour le juge depuis longtemps?

— Quelques mois. Avant, j'étais domestique à Québec. Je peux vous montrer mes références si vous voulez.

— Ce ne sera pas nécessaire.

L'inspecteur le dévisagea encore.

— Curieux, dit-il en secouant la tête. Je n'oublie jamais un visage. Enfin. Vous savez où me trouver s'il se passe quoi que ce soit.

— Bien entendu. Merci, inspecteur.

— De rien. Je laisse deux agents devant la maison, au cas où.

Godefroy était assis sur un tabouret dans la chambrette d'Alphonse. Il n'avait pas déjeuné mais n'avait pas faim. Le cocher s'était installé sur le rebord de son petit lit étroit. Il joignit les mains un moment devant lui, les coudes sur les genoux, baissa la tête et se massa la nuque, comme pour mettre de l'ordre dans ses idées. Après un long soupir plein de lassitude, il commença à parler.

— Tu es comment en histoire, au collège ? demanda-t-il sans préambule.

— Ben… Je réussis assez bien, répondit Godefroy. Pourquoi ?

— Tu peux me dire ce qui s'est passé d'important au Canada en 1837 et 1838 ?

— Les Rébellions des Patriotes, rétorqua Godefroy sans hésitation. Je viens juste d'avoir un examen là-dessus. Les Patriotes essayaient d'obtenir plus de pouvoir au Parlement du Bas-Canada. Ils ont écrit au gouvernement britannique, mais ça n'a pas fonctionné.

— Et ensuite, qu'est-ce qu'ils ont fait ?

— Ils se sont révoltés, mais ils ont été facilement battus par les soldats britanniques. On a pendu une douzaine de chefs et plusieurs rebelles ont été exilés.

Alphonse croisa la jambe droite sur son genou gauche et, appuyé sur ses avant-bras, se pencha vers Godefroy.

— C'est exact, mais il y a plus. Et c'est là que ça se complique. Seules quelques personnes très haut placées savent qu'après les Rébellions, l'Angleterre avait décidé de céder le Bas-Canada aux États-Unis. Le premier ministre Lamb considérait que le Canada français était trop instable. Des rencontres secrètes ont eu lieu à Londres. L'Angleterre et les États-Unis ont convenu d'un prix de six millions de dollars américains — une aubaine quand tu penses que la Louisiane avait été vendue aux États-Unis par la France pour 15 millions de dollars en 1803.

— L'Angleterre voulait vendre la province de Québec? s'exclama Godefroy, incrédule.

— Oui. Mais il ne fallait pas l'ébruiter. Sinon, les Canadiens français auraient repris les armes pour sauver leur nation et les Canadiens anglais se seraient révoltés pour ne pas perdre un morceau important du territoire canadien. L'Angleterre se serait retrouvée avec une révolte nationale sur les bras et aurait pu perdre le Canada au complet, comme c'était arrivé avec les colonies américaines en 1783.

Fasciné, Godefroy écoutait sans rien dire.

— Les Britanniques ont produit un traité en deux copies, poursuivit Alphonse. Pour empêcher que le traité ne tombe entre des mains ennemies, les services secrets l'avaient soigneusement camouflé dans un autre document, mais on ignore lequel. Le traité a été signé par le premier ministre britannique Lamb, puis il a été confié à un agent qui a traversé l'Atlantique avec le document dans ses bagages, sans savoir ce qu'il transportait. Ses ordres étaient de débarquer à Boston, puis de se rendre à Washington, où il devait remettre son porte-document scellé à un fonctionnaire américain. Mais lorsqu'il est arrivé à Boston, une dépêche l'attendait à son hôtel. Le gouvernement de Sa Majesté annulait sa mission.

— Pourquoi ?

— L'Angleterre avait changé d'idée, répondit Alphonse en haussant les épaules. Pendant qu'il traversait l'Atlantique, au début de 1839, lord Durham avait remis au gouvernement britannique son rapport sur les Rébellions de 1837-1838. Il recommandait de former une seule colonie avec le Haut et le Bas-Canada :

le Canada-Uni. Avec un seul Parlement pour tout le pays, les Canadiens français seraient minoritaires. Ils ne pourraient plus influencer les politiques du pays. Il ne resterait plus aux Britanniques qu'à les assimiler lentement tout en conservant les ressources naturelles de la colonie. J'imagine que l'idée leur plaisait davantage.

— Alors, qu'est-ce qui est arrivé au traité?

— Il n'a jamais été contresigné par le président américain de l'époque, Martin Van Buren. Je suppose que l'agent britannique a fini par ouvrir son porte-document et qu'il n'y a trouvé qu'un écrit sans importance. On ignore ce qu'il en est advenu. Mais, un an plus tard, on a retrouvé l'agent dans une ruelle de Boston. On l'avait battu à mort. Déjà, quelqu'un cherchait le traité… Finalement, ce n'est qu'en janvier dernier qu'il a refait surface. Nos sources à Washington nous ont rapporté que l'agence de détectives Pinkerton avait retrouvé sa trace et que le président Cleveland l'avait chargée de mettre la main dessus.

— Mais pourquoi les Américains veulent-ils tellement d'un vieux traité à moitié signé?

Alphonse fit un petit sourire découragé.

— C'est ça, le problème. Comme le traité porte déjà la signature d'un premier ministre anglais, il suffirait que le président actuel, Grover Cleveland, y appose la sienne pour qu'aussitôt la province de Québec devienne le quarante-cinquième État américain. Bien sûr, le Canada protesterait et il y aurait d'interminables discussions. Mais, au bout du compte, il est très possible que le traité soit reconnu.

— Les Américains l'ont retrouvé ou pas?

— Non. Les agents de Pinkerton ont eu un pépin. À la fin de janvier, un lot de documents anciens a été mis aux enchères à Boston. Le traité s'y trouvait. Évidemment, seule l'agence Pinkerton le savait. Elle prévoyait simplement l'acheter en misant une somme plus élevée que les autres. Mais un autre collectionneur est sorti de nulle part et a misé plus.

— Le juge! s'écria Godefroy.

— Le juge… soupira Alphonse. Il a acheté le lot complet et l'a ramené à Montréal pour l'offrir au futur Musée du Château Ramezay. Sans le savoir, il avait dans sa collection ce qui est probablement le document le plus explosif de l'histoire canadienne.

— Et ça a quelque chose à voir avec sa disparition! s'exclama Godefroy.

— Nous croyons que oui. Mais nous n'en savons pas davantage.

Godefroy demeura longtemps silencieux. Il avait peine à assimiler tout ce qu'Alphonse venait de lui dire. Les idées se bousculaient dans sa tête.

— Et toi, tu es policier… reprit-il.

— Ouais. Plus précisément un agent de la Police provinciale. Je suis chargé de retrouver le traité avant les gars de la Pinkerton et de le détruire. Ma mission me vient directement du premier ministre Louis-Olivier Taillon. Personne d'autre que le premier ministre et moi n'est au courant. Je me suis fait engager comme cocher par le juge pour pouvoir mettre la main sur le traité. J'ai profité des moments où j'étais seul pour fouiller toute la maison. J'ai feuilleté chaque livre, examiné chaque document, retourné tous les tableaux, ouvert tous les cadres. Je n'ai rien trouvé qui puisse ressembler à un traité secret. J'ignore comment les Britanniques s'y sont pris, mais ils l'ont très bien maquillé.

— Et cette nuit ? Tu essayais encore de trouver le traité ? demanda Godefroy.

— J'essayais de déterminer si ceux qui ont pénétré dans le Château hier étaient partis avec quelque chose.

— Alors?

— Tout ce que le juge a déposé au Musée avant-hier est encore là.

— Donc, ils n'ont pas le traité, eux non plus. Pourquoi tu ne demandes pas l'aide de la police municipale? Je suis sûr que l'inspecteur Ménard pourrait te donner un coup de main. Il a l'air de connaître son affaire.

— Ce sont les ordres. Ma mission est absolument confidentielle. Le traité doit être récupéré sans que personne soit au courant. Sinon, tôt ou tard, l'affaire s'ébruiterait et Dieu seul sait les conséquences politiques qu'elle aurait.

— Mais peut-être que ça aiderait la police à retrouver le juge! explosa Godefroy.

— Ouais… Mais l'avenir de la province passe avant la vie d'un individu…

Godefroy ne savait plus quoi dire. Cet homme était là, devant lui, possédant des informations qui permettraient peut-être de retrouver le juge, et il refusait de faire quoi que ce soit.

— Si ta mission est aussi secrète que ça, pourquoi tu me racontes tout, à moi?

— Pas le choix… Tu croyais que je cambriolais le Musée. Si tu avais tout raconté à Ménard, on m'aurait arrêté. Du fond d'une prison, je n'aurais pas été capable de retrouver le traité… Il fallait que je te mette dans le coup.

Alphonse s'étira et ouvrit le tiroir de sa petite table de chevet. Il en sortit une enveloppe et en retira trois photographies grand format qu'il étala les unes à côté des autres sur le lit devant Godefroy.

— Regarde. Ce sont les gens à qui nous avons affaire, dit-il.

Godefroy prit une des photographies en noir et blanc. Elle montrait un homme partiellement chauve et moustachu, au visage rond, qui ressemblait davantage à un comptable qu'à un détective. Il ne manquait que des petites lunettes rondes sur le bout du nez. À l'endos, il était écrit «Robert Pinkerton». Il posa sur Alphonse un regard interrogatif.

— C'est le patron de l'agence Pinkerton. Le fils d'Allan, le fondateur. Le traité est si important pour les Américains qu'il s'en occupe personnellement, ce qui est assez rare. Habituellement, il se contente de diriger les enquêtes à partir de son bureau et laisse ses hommes faire le sale boulot.

— Et ceux-là? demanda Godefroy en désignant les deux autres photographies.

— Ses deux meilleurs détectives. James Simmons et Silas Creasy. Deux durs à cuire qui ne reculent devant rien pour obtenir l'information dont ils ont besoin. Mais il ne faut pas se fier aux apparences. Sous leurs airs de brutes se cachent deux hommes brillants. Ces deux-là ont élucidé plus de cas chez Pinkerton que tous les autres détectives réunis.

Godefroy examina les deux autres individus. Des êtres redoutables qui avaient enlevé le juge et violenté sa pauvre mère! Simmons était moustachu et mal rasé. Il avait le nez écrasé d'un boxeur qui a reçu trop de coups et portait un vieux chapeau melon fatigué en travers de la tête. Ses yeux sombres étaient froids et calculateurs. Creasy, lui, était tout le contraire. Il avait une face de furet avec un long nez pointu, de petits yeux cachés par d'épaisses lunettes, des cheveux séparés au milieu et une barbe méticuleusement taillée. Le rictus de cruauté qui flottait sur ses lèvres était sans doute permanent.

— Tu crois que tu vas retrouver le traité?

— À la lumière des événements de la nuit dernière, il y a encore une chance. Si le juge savait quoi que ce soit du traité, les gars de la Pinkerton seraient repartis aux États-Unis depuis longtemps déjà. Ils n'auraient pas couru le risque de fouiller le Musée et la maison cette nuit. S'ils l'ont fait, c'est qu'ils ne l'ont toujours pas.

— Tout ça ne nous dit pas où il est...

— Peut-être au Château.

— Au Château? s'exclama Godefroy. Mais tout le monde l'a retourné dans tous les sens! Si le traité y était, pourquoi est-ce que toi, tu le retrouverais maintenant?

— Cette nuit, les types de Pinkerton ont insisté pour que ta mère leur révèle où se trouvait «l'Acte». Tu te souviens? À présent, j'ai une meilleure idée de ce que je cherche.

— Mais eux aussi...

— Je sais, soupira Alphonse. Mais si tu vois une autre option, ne te gêne surtout pas...

Godefroy se tut un moment. Les sourcils froncés, il réfléchissait intensément.

— Si on retrouve le traité, on retrouvera aussi le juge! s'exclama-t-il. J'y vais avec toi!

— Non. C'est trop dangereux, répliqua Alphonse.

— Alors, je vais aller tout raconter à l'inspecteur Ménard!

Le garçon croisa les bras et le fixa avec obstination.

— Je te l'ai déjà expliqué, plaida Alphonse. Ma mission est ultrasecrète. Même la police municipale ne doit pas être mise au courant.

— Si tu veux mon avis, l'inspecteur Ménard est à un poil de tout comprendre. Et puis, ton histoire n'est pas si secrète que ça, puisque je la connais, moi. Une personne de plus ou de moins, ça changera quoi ? rétorqua Godefroy, l'air frondeur.

— Tu ne me rends pas la vie facile, petit, soupira Alphonse. Mais je n'ai pas vraiment le choix, on dirait. Va d'abord te reposer. Je te réveillerai pour le dîner.

6

COUP DE CHANCE

Épuisé par sa nuit d'aventures, Godefroy avait fini par dormir quelques heures tout habillé, au beau milieu de la journée. Il était passé treize heures lorsque Alphonse le secoua pour le réveiller et il lui fallut toute sa volonté pour garder les yeux ouverts. Il n'eut même pas la force de se changer. Il se contenta de s'humecter le visage avec un peu d'eau pour s'éclaircir les idées et peigna ses cheveux avec ses doigts avant de descendre à la cuisine. Jeanne, l'air défait, le couvrit d'attentions et insista pour qu'il avale un bol du bouilli de légumes qu'elle avait passé la matinée à préparer pour s'occuper l'esprit. Alphonse vint le rejoindre et l'attendit près de la porte.

Dans sa chambre, madame Baby était toujours sous l'effet du laudanum et dormait. Après s'être assuré que Jeanne ne la quitterait pas d'une semelle et qu'elle préviendrait le docteur Laflamme au moindre signe inquiétant, Godefroy rejoignit Alphonse, qui l'attendait près de la porte avant.

— J'ai dit à Jeanne que tu me conduisais au poste de police pour voir s'il y a du nouveau.

— Excellent. Allez, viens petit.

Alphonse entrouvrit la porte. Les deux policiers sursautèrent.

— Nous allons faire des courses, leur expliqua le prétendu cocher.

Les policiers s'écartèrent et leur cédèrent le passage.

Ils arrivèrent par la rue Sainte-Élizabeth, traversèrent le Champ-de-Mars et contournèrent le monumental hôtel de ville. Ils s'arrêtèrent rue Saint-Paul, devant le Château Ramezay. Il faisait beau et, en ce milieu d'après-midi, le soleil d'avril était chaud. Sur la place Jacques-Cartier, au sommet de sa colonne, la statue de l'amiral Horatio Nelson, le grand héros de la marine britannique, dominait la scène. Aujourd'hui n'était pas jour de marché public. Le vaste espace entre les édifices de brique et de pierre qui bordaient la place était presque désert. Seuls quelques chevaux, libérés de leur attelage, mâchonnaient tranquillement le foin qu'on leur avait donné. Mais demain, la place grouillerait de marchandises et d'acheteurs.

Dans la rue Saint-Paul, quelques hommes d'affaires allaient et venaient. Certains étaient vêtus de complets sombres, d'une chemise au col relevé enserré dans une cravate foncée, un chapeau haut-de-forme ou un feutre mou sur la tête, un porte-document en cuir sous le bras. D'autres portaient une veste sombre sur un pantalon gris. Tous marchaient d'un pas un peu moins pressé qu'à l'habitude, profitant de quelques minutes de soleil. Certains portaient encore un manteau ajusté qui leur descendait jusqu'au genou, mais la plupart avaient préféré le laisser à la maison. Les dames, elles, étaient vêtues d'élégants tailleurs serrés à la taille et aux épaules bouffantes, de longues jupes qui leur touchaient les pieds et de petits chapeaux perchés sur le devant de leur chevelure remontée en chignon. Plusieurs d'entre elles se protégeaient du soleil avec de jolies ombrelles en dentelle. Godefroy admirait les vélos qui passaient de temps à autre, leurs conducteurs, assis sur une petite selle de cuir, maintenant tant bien que mal un équilibre précaire au-dessus d'une énorme roue. Il rêvait de monter un de ces engins!

Alphonse et Godefroy traversèrent la rue Saint-Paul et passèrent sous l'arche de pierre du Château. En cette belle journée de printemps, on avait ouvert quelques fenêtres. McLachlan devait s'être remis au travail, songea Godefroy. Un policier en uniforme, assis sur une chaise, montait la garde devant la galerie. Ils s'approchèrent et le saluèrent.

— Je peux vous aider ? demanda-t-il avec méfiance.

— Je suis Alphonse Métivier, le cocher du juge Baby. Et voici son fils adoptif. Nous venons voir monsieur McLachlan, répondit Alphonse.

— À quel sujet ?

— Madame Baby désire savoir s'il va mieux. Il a reçu un bon coup sur la tête et elle s'inquiète.

— C'est bien aimable de sa part, remarqua le policier. Avec ce qui est arrivé à monsieur le juge...

— Elle est comme ça, madame Baby.

Le policier leur ouvrit la porte et s'écarta.

— Allez-y. Monsieur McLachlan est dans une des salles.

Alphonse et Godefroy allaient entrer lorsqu'un cri retentit par les fenêtres ouvertes du Château.

— *Oh no! Oh my God!* Mais qu'est-ce que j'ai fait? *You bloody imbecile! Oh dear, oh dear*[1]… Quelle catastrophe!

Alphonse se précipita à l'intérieur, le policier sur ses talons. Il évita de dégainer son arme mais déboutonna discrètement son paletot. Godefroy les suivit, un peu en retrait. Tous ensemble, ils firent irruption dans la grande salle.

McLachlan était assis par terre et leur tournait le dos. Il se tenait la tête à deux mains. Alphonse et le policier s'accroupirent près de lui.

— On vous a encore attaqué? demanda le policier.

McLachlan sursauta et leva vers lui un regard terrifié en croisant les bras devant son visage.

— *Oh, it's you…* dit-il, confus. Je me croyais seul… *I'm sorry.* Depuis qu'on m'a tapé sur la tête, je suis un peu… *nervous*[2], vous comprenez…

— Pourquoi avez-vous crié? demanda Alphonse.

1. Oh, non! Oh, mon Dieu! Espèce d'imbécile! Seigneur, Seigneur…
2. C'est vous… Je suis désolé. Je suis un peu nerveux.

— J'ai commis une affreuse gaffe, gémit-il. Je suis impardonnable... *So terrible*[1]... J'ai détruit des documents donnés par *the judge*...

Alphonse empoigna McLachlan par le bras et l'aida doucement à se relever.

— Dites-nous calmement ce qui se passe, suggéra-t-il.

— Eh bien... J'étais en train de nettoyer certains des documents anciens que monsieur le juge a donnés au Musée. *Poor judge*[2] Baby... soupira-t-il. Vous savez, les vieux papiers ont souvent de petites taches brunes. Pour les faire disparaître, j'utilise un petit peu d'alcool méthylique sur un linge doux. Comme ça, les documents sont plus présentables et ils se préservent mieux.

— Et alors? s'impatienta Godefroy.

— J'ai renversé la bouteille et les documents sont complètement trempés, geignit le conservateur du Musée. *Oh dear*... Ils seront illisibles! *All those treasures, ruined*[3]!

McLachlan se remit à gémir en tirant à pleines mains sur sa grosse moustache. Le policier haussa un sourcil, étonné.

1. C'est terrible...
2. Pauvre juge.
3. Tous ces trésors, ruinés!

— Bon. Je vais retourner à mon poste, dit-il avec une pointe d'exaspération dans la voix et en faisant un air entendu à Alphonse. Je suis certain que vous pourrez… consoler monsieur.

Il s'éloigna en secouant la tête.

Godefroy scruta la pièce. Au fond, sur des documents anciens éparpillés sur une table, gisait une petite bouteille vide. Il se dirigea vers la table et se mit à examiner les documents. Effectivement, ils étaient tout mouillés… Il en prit un dans ses mains et le regarda dégoutter sur la table. Un document daté de 1721… Godefroy avait souvent vu le juge manipuler des papiers précieux et savait qu'ils étaient fragiles. Espérant que ceux qui se trouvaient en dessous avaient mieux survécu, il déplaça les documents un à un en faisant bien attention de ne pas les endommager. Il les étendit soigneusement les uns à côté des autres. Tout à coup, il se figea.

— Alphonse, dit-il. Viens voir.

Le cocher releva la tête. Il abandonna le conservateur à sa misère et vint rejoindre Godefroy, qui lui tendit un document tout humide. Malgré l'encre détrempée qui avait coulé, le haut du texte était encore lisible. Sur deux colonnes, on pouvait voir, en vieux caractères d'imprimerie :

THE CONSTITUTIONAL ACT – 1791
31 George III, c. 31 (U.K.) An

Act to repeal certain Parts of an Act, passed in the fourteenth Year of his Majesty's Reign, intituled An Act for Making more effectual Provisions for the Government of the Province of Quebec, in North America; and to make further Provisions for the Government of the said Province.

ACTE CONSTITUTIONNEL DE 1791
31 George III, ch. 31 (R.-U.)

Acte qui rappelle certaines parties d'un acte, passé dans la quatorzième année du règne de Sa Majesté, intitulé Acte qui pourvoit plus efficacement pour le gouvernement de la province de Québec, dans l'Amérique du Nord; et qui pourvoit plus amplement pour le gouvernement de ladite province.

Alphonse le lut par-dessus l'épaule du garçon en fronçant les sourcils.

— C'est l'Acte constitutionnel de 1791 qui créait le Haut et le Bas-Canada, constata-t-il. Et alors ?

Sans dire un mot, Godefroy, l'air grave, retourna prudemment le document en le tenant du bout des doigts par les coins. Au verso se trouvait un autre texte imprimé en anglais seulement. Alphonse le lui arracha des mains et se mit à le lire frénétiquement.

— Lamb, Vicomte Melbourne… marmonna-t-il, les yeux écarquillés, en parcourant les lignes manuscrites. C'est signé par le premier ministre britannique et daté de 1838… Mon Dieu, tu l'as trouvé… Les petits malins l'avaient imprimé à l'encre sympathique. L'alcool répandu par McLachlan a dû agir comme révélateur et faire apparaître le texte. Ce que je ne comprends pas, c'est que ce document n'était ni dans le bureau du juge, ni dans les caisses, ni dans le Musée.

Incrédule, il le relut une seconde fois, puis une troisième. Il commença à plier le document en quatre et allait le fourrer dans la poche de son manteau lorsque McLachlan, dont la curiosité avait été piquée par tous ces chuchotements, s'avança près d'eux, le cou tendu pour mieux voir ce qui les excitait ainsi. Alphonse remit aussitôt le document sur la table en s'assurant de le retourner pour que le conservateur n'en voie que le recto.

— D'où vient ce document ? lui demanda-t-il brusquement.

— Mais du *judge* Baby… bafouilla McLachlan. Je vous l'ai déjà dit.

— Comment est-il arrivé ici ?

— Oh… C'est que, voilà quelques mois, le *judge* a acheté un lot aux enchères à Boston et il me l'a remis. Il m'a dit de garder ce que je voulais pour le Musée et de lui rendre le reste quand j'en aurais terminé. J'avais choisi ceux-là, mais maintenant, ils sont complètement ruinés...

— Où les gardiez-vous?

— Euh, chez moi... Le *judge* m'avait remis les documents chez moi. J'ai amené ce matin ceux que je désirais exposer.

Alphonse jeta un regard en coin vers Godefroy en haussant un sourcil d'un air entendu. McLachlan sortit un pince-nez de sa poche de veston et le posa devant ses yeux. Il tendit le cou vers le document.

— Mais pourquoi faites-vous un tel cas d'une simple copie du *Constitutional Act*[1]? s'enquit-il, perplexe.

— Pour rien, répondit Alphonse. Je suis juste curieux. Comment allez-vous le remplacer maintenant qu'il est tout détrempé?

— Heureusement, l'Acte constitutionnel de 1791 n'est pas un document très rare. Il en existe de nombreuses copies, répondit McLachlan, mal à l'aise.

Le conservateur alla fouiller dans une pile de documents déposés dans un coin, sur le plancher, et finit par en extraire un qu'il revint montrer à Alphonse.

1. L'Acte constitutionnel.

— Vous voyez? J'utiliserai celle-ci. Elle est en moins bon état, mais elle fera l'affaire. Si seulement c'était le cas pour tous les documents, soupira-t-il. Certains ne pourront jamais être remplacés, j'en ai peur…

Il se dirigea vers une grande vitrine placée contre le mur de la salle.

— Vous pourriez me tenir le couvercle ouvert un instant? demanda-t-il.

Alphonse le rejoignit et souleva le couvercle de verre et de bois de la vitrine. McLachlan se pencha et y déposa soigneusement la nouvelle copie de l'Acte constitutionnel, puis une petite vignette de carton sur laquelle était dactylographié un numéro qui renvoyait au catalogue de l'exposition.

— Voilà! s'exclama-t-il l'air satisfait. Comme ça, le document sera bien identifié. Vous pouvez refermer.

Alphonse obtempéra. McLachlan sortit une clé de fer et verrouilla la vitrine.

— Une autre vitrine de terminée, se réjouit-il. Il n'en restera que quelques-unes à finir demain matin et tout sera prêt pour l'ouverture samedi après-midi. Si seulement le pauvre *judge* pouvait être présent à l'inauguration…

Alphonse regarda la pile de documents détrempés sur la table.

— Vous avez besoin d'aide pour ramasser tout ça? demanda-t-il.

— Euh, oui. Ce serait *very nice*[1]. Je vais les déposer dans mon bureau.

Alphonse et Godefroy prirent chacun un paquet de documents en faisant bien attention de ne pas les endommager. Ils traversèrent les salles d'exposition, empruntèrent l'escalier qui menait à l'étage, McLachlan juste derrière eux, et entrèrent dans le bureau du conservateur.

— Mettez-les là, dit-il en désignant du doigt une grande table qui se trouvait dans le coin.

Ils s'exécutèrent. Subtilement, Alphonse referma la main sur le traité secret et ouvrit son paletot.

— Essaie de le distraire, nom d'un chien, murmura Alphonse entre ses dents. Il est collant comme une limace…

Avant que Godefroy ait même pu songer à une excuse pour occuper l'attention du conservateur, celui-ci s'approcha en gesticulant.

— *No, no, no!* Pas comme ça. Il faut les étendre sur la table. Si on les laisse empilés les uns sur les autres, ils vont se coller

1. Très gentil.

ensemble en séchant. Je vais le faire moi-même.

Il écarta Alphonse sans ménagement. Le cocher n'eut d'autre choix que de lâcher le traité. Au bout de deux minutes, la moindre surface libre du bureau était recouverte de documents anciens mis à sécher.

— *There*[1]*!* C'est beaucoup mieux. Maintenant, nous pouvons partir. J'ai un terrible mal de tête, dit-il en frottant la bosse violacée sur son crâne.

Ensemble, ils redescendirent au rez-de-chaussée et se dirigèrent vers la sortie. Derrière la porte, une grosse caisse de bois traînait dans le coin. McLachlan s'arrêta et leva les yeux au ciel, l'air découragé.

— *Oh dear…* J'ai complètement oublié de faire descendre cette caisse à la cave. Serait-ce trop vous demander de…

— S'il le faut vraiment, grommela Alphonse en empoignant la caisse. Je la mets où?

— *Very nice of you*[2]. Je vais vous montrer où la ranger.

McLachlan prit une lampe à huile et se mit en marche, suivi d'Alphonse portant la lourde caisse et de Godefroy. Ils retraversè-

1. Voilà!
2. C'est très gentil de votre part.

rent les salles et parvinrent à un escalier qui menait à la cave. Supportant tout le poids du Château Ramezay, les voûtes de pierres blanchies à la chaux étaient massives et hautes comme deux hommes. Leurs murs arrondis donnaient l'impression de marcher dans un souterrain. Comme au rez-de-chaussée et à l'étage, la cave était divisée en pièces communiquant par de lourdes portes de bois qu'on laissait toujours ouvertes. Dans une pièce au bout de la cave étaient empilées quelques caisses semblables à celle que transportait Alphonse en suant.

— Je la dépose où ? grogna-t-il.

— Placez-la là, dit McLachlan.

Alphonse s'exécuta sans se faire prier.

— *There. You're a good man*[1].

Ils retournèrent d'un pas rapide vers la maison. L'air préoccupé, Alphonse réfléchissait à voix haute.

— Ils l'avaient écrit à l'encre sympathique, tout bêtement… dit-il en secouant la tête. Non, mais tu te rends compte ? Pendant

1. Voilà. Vous êtes bien aimable.

tout ce temps, le traité était chez McLachlan… Ça explique que Pinkerton et ses gars ne l'aient pas trouvé. Et maintenant, il est là, sur le bureau, et n'importe qui peut s'en emparer. Va falloir aller le récupérer au plus vite…

— Tu vas retourner le prendre ? demanda Godefroy.

Alphonse semblait songeur. Il resta un long moment sans répondre, se frottant lentement le menton d'une main.

— Non. J'ai une meilleure idée… finit-il par répondre d'un ton énigmatique. Viens. Je vais te reconduire à la maison.

Une fois sur place, ils saluèrent les policiers au passage et entrèrent.

— Repose-toi et prends soin de ta mère, petit, dit Alphonse. Moi, je vais aller discuter avec un ami journaliste à *La Minerve*. Si je l'attrape avant l'heure de tombée, demain matin, il va annoncer en grande pompe que les gens du Musée du Château Ramezay viennent de découvrir un document historique inédit rédigé à l'endos d'une copie de l'Acte constitutionnel de 1791…

— Tu vas… Mais tu es tombé sur la tête ou quoi ?! s'écria Godefroy. Tu cherches le traité pour le détruire parce qu'il est ultra-secret. Tu me répètes sans cesse que personne ne doit apprendre son existence ! Et maintenant que tu sais où il est, tu vas l'annoncer dans le journal?!

— Petit, pour retrouver le juge, il va falloir courir quelques risques, répondit Alphonse.

Ce dernier tourna les talons et repartit, laissant Godefroy planté là, les bras ballants. Dépassé par les événements, le garçon haussa les épaules. Il discuta un instant avec Jeanne, qui lui apprit que sa mère dormait toujours. Personne n'était venu à part madame McGillivray, qui désirait prendre des nouvelles. Godefroy alla s'étendre dans sa chambre jusqu'à ce que sa mère se réveille. Il passa la soirée avec elle à attendre des nouvelles qui ne vinrent pas. Lorsque Alphonse rentra enfin, il lui fit un clin d'œil au passage.

7

COUP MONTÉ

Godefroy avait mal dormi. Il n'était pas encore sept heures lorsqu'il fit son apparition dans la cuisine. Alphonse mangeait en silence, assis devant un bol de gruau fumant que Jeanne venait de lui préparer. Godefroy s'assit près de lui. L'atmosphère était lourde dans la pièce. La mère de Godefroy n'était pas sortie de sa chambre depuis la visite de l'inspecteur Ménard et Jeanne en ramenait régulièrement des plateaux de nourriture qu'elle n'avait pas touchée. Son visage ridé était défait par l'inquiétude.

Godefroy leva les yeux en direction d'Alphonse en mastiquant. Sans même quitter son bol des yeux, le cocher fit discrètement glisser vers lui un exemplaire de *La Minerve*. Il avait plié le journal sur la longueur pour bien mettre en évidence un entrefilet publié au bas de la première page :

DÉCOUVERTE D'UN TRAITÉ HISTORIQUE

Un citoyen désirant conserver l'anonymat nous informe d'une importante découverte historique. Il appert que le musée d'histoire et de gloires nationales qui ouvrira ses portes d'ici quelques jours dans l'illustre Château Ramezay présentera au public montréalais un document jusqu'ici inconnu de nos savants historiens. Écrit à l'encre invisible derrière une banale copie de l'Acte constitutionnel de 1791, le document a été révélé grâce à un traitement scientifique à base d'alcool méthylique. On refuse pour le moment d'en préciser le contenu, mais il s'agirait d'un traité dont on nous assure qu'il changera à jamais l'histoire de la province de Québec. Le Musée désire faire durer le suspense jusqu'à son ouverture, prévue pour ce samedi 6 avril, alors que le document sera mis bien en vedette.

Alphonse avait vraiment annoncé l'existence du traité dans le journal! Plus haut sur la même page, un article assurait que Godefroy n'oublierait pas le malheur qui frappait sa famille. Il le lut en soupirant tristement.

LE JUGE BABY TOUJOURS INTROUVABLE

La police de Montréal n'a fait aucun progrès dans la mystérieuse affaire du juge Baby, rapportée dans notre numéro d'hier. Rappelons que l'honorable juge Louis-François-George Baby, homme d'affaires prospère et grand collectionneur d'antiquités, est disparu le 2 avril dernier, alors qu'il s'affairait à installer l'exposition du Musée du Château Ramezay, qui doit ouvrir ses portes ce samedi 6 avril. Bien que la police refuse de le confirmer, on craint que le magistrat n'ait été victime d'un enlèvement dont les motifs restent nébuleux. L'inspecteur Elphège Ménard, chargé de l'enquête, a déclaré à notre journal que la police faisait tout en son pouvoir pour retrouver l'honorable juge et qu'elle avait toujours espoir d'y parvenir.

Pendant que Godefroy mangeait, Jeanne plaça un chaudron à mijoter sur le pont supérieur du poêle à bois et s'essuya les mains dans une serviette en lin. Elle déposa sur un plateau un bol de gruau, du pain grillé, de la marmelade, de la confiture, du thé et du lait. Elle souleva le tout et soupira tristement.

— Je vais tenter de convaincre madame votre mère de manger un peu, dit-elle à Godefroy. La pauvre n'a pratiquement rien avalé depuis... Enfin, vous savez... Mon Dieu... Quelle affaire...

Elle sortit de la cuisine en se lamentant. Quelques secondes plus tard, Godefroy entendit le bruit de ses bottines à talon dur dans l'escalier.

— Avec ça, dit Alphonse en tapant du doigt sur l'article de *La Minerve*, les Américains n'auront pas vraiment le choix. Désormais, ils savent que le traité est au Musée et ils vont donc tout faire pour mettre la main dessus avant l'ouverture officielle demain.

— Tu as perdu la tête! s'écria Godefroy. S'ils trouvent ce qu'ils cherchent, ils fuiront aux États-Unis et nous ne reverrons jamais le juge!

Alphonse regarda la porte pour être certain que Jeanne ne revenait pas. À voix basse, il expliqua son plan à Godefroy.

— Réfléchis un peu. Pour pouvoir signer le traité en 1838, les Américains savaient forcément qu'il était imprimé à l'encre invisible à l'endos d'un autre document. Mais seuls les Britanniques connaissaient le document en question. Pour les Américains, ça n'avait aucune importance. Ils l'auraient appris lorsque l'agent britannique leur aurait livré le traité. Comme ils n'ont jamais reçu le traité, forcément, ils n'ont jamais su derrière quel document le trouver. Maintenant, grâce à cet article dans *La Minerve*, ils savent qu'il se trouve au verso de l'Acte constitutionnel conservé au Musée du Château Ramezay. Ils vont tout naturellement croire qu'il s'agit de la copie qui est dans la vitrine de l'exposition, et non pas de celle qui est en train de sécher dans le bureau de McLachlan.

— Mais ils vont bien voir que le traité n'est pas derrière cet Acte-là.

— Pas immédiatement. L'encre invisible ne paraît que lorsqu'elle est mise en contact avec un révélateur. McLachlan a accidentellement renversé de l'alcool méthylique. À moins d'être fixée à l'aide de certains produits chimiques, l'encre redevient invisible en séchant. Lorsqu'ils trouveront l'Acte, ils croiront simplement que McLachlan l'a laissé sécher.

— Et alors?

— Alors, ils ne peuvent pas prendre le risque de repartir pour les États-Unis sans être absolument certains qu'ils ont le document. Une fois qu'ils croiront l'avoir en main, ils vont retourner là où ils se terrent pour le tester. Et moi, je vais les suivre. Il va juste falloir jouer serré… Si j'arrive à les filer en douce jusqu'à leur cachette, je pourrai ensuite informer l'inspecteur Ménard qui n'aura qu'à les cueillir sur place et à libérer le juge.

— Et le vrai traité sera toujours au Musée! s'exclama Godefroy.

— Exactement, rétorqua Alphonse en souriant. J'attendrai que tout se calme, puis j'irai tranquillement le détruire. Au pire, on croira que des vandales se sont introduits dans le Musée et tout sera vite oublié.

Godefroy était émerveillé par la simplicité du plan d'Alphonse.

— Alors, qu'est-ce qu'on fait maintenant? s'informe-t-il avec enthousiasme.

— Malheureusement, j'ai besoin de ton aide…

Alphonse lui expliqua son plan.

Dans l'entrepôt, l'homme abattit furieusement *La Minerve* sur la table.

— *They found it*[1]*!* s'écria-t-il, furieux.

Ses deux comparses connaissaient bien ses colères et se tenaient tranquilles sans rien dire. L'un d'eux, le bras en écharpe, frottait distraitement son épaule blessée.

L'homme était un professionnel. Il inspira trois ou quatre fois pour retrouver son calme et analysa froidement la situation. Tout était encore possible. Ils avaient maintenant la certitude que le traité était au

---

1. Ils l'ont trouvé !

Château Ramezay, et grâce au journaliste indiscret, ils savaient derrière quel document le trouver. Il leur suffirait de retourner sur place et de se servir. Ensuite, ils se débarrasseraient du vieux et repartiraient chez eux empocher leur récompense. Mais il fallait agir avant l'inauguration du Musée, prévue pour le lendemain. D'ici quelques jours, les Britanniques allaient entendre parler de cet article de journal et se mettre à la recherche du traité pour le faire disparaître. Et puis, il y avait toujours les Canadiens… Leur police était à peine digne de ce nom, mais on ne savait jamais… S'ils étaient de mèche avec les Britanniques, ils étaient peut-être déjà sur le coup… Il fallait procéder dès ce soir, quels que soient les risques. Assis autour de la table, ils élaborèrent une nouvelle stratégie.

Alphonse était convaincu que les Américains ne tenteraient rien en plein jour. Ce serait bien trop risqué. Après le souper, Godefroy alla voir sa mère dans sa chambre et lui raconta qu'il se rendait avec Alphonse au poste de police, histoire de savoir s'il y avait du nouveau. Les traits tirés, les yeux creusés, la pauvre femme était rongée par l'inquiétude. Après lui avoir bien promis qu'il serait prudent et ne s'éloignerait pas d'Alphonse, Godefroy la laissa aux bons soins de Jeanne et avertit les policiers de garde de son départ avec Alphonse.

Le jeune garçon rejoignit celui-ci à l'arrière de la maison. Ils marchèrent jusqu'à la rue Notre-Dame pendant qu'Alphonse fignolait sa stratégie. Les rues étaient pratiquement désertes. Les lampadaires étaient déjà allumés et jetaient une lumière jaunâtre. Le tramway électrique avait depuis longtemps terminé ses activités. Alphonse reconduisit Godefroy jusqu'au mur de l'hôtel de ville. Deux policiers montaient la garde devant l'arche du Château Ramezay. Après les événements récents, ils restaient fermement plantés là.

— Tu te souviens du signal ? chuchota-t-il.

— Oui. Je me passe la main dans les cheveux trois fois.

— Très bien. Si tu vois quelqu'un, tu me fais signe, lui rappela-t-il. S'il entre dans le Musée, tu attends qu'il en ressorte et quoi qu'il arrive, tu ne bouges pas. Je m'arrangerai pour le suivre. Toi, tu retournes aussitôt à la maison. Compris ?

— Et si tu as besoin d'aide ?

— Compris? répéta Alphonse, l'air sévère.

— Bon, bon, j'ai compris, marmonna Godefroy en se renfrognant. J'ai compris…

Alphonse s'éloigna dans la rue Notre-Dame, prit à droite rue Bonsecours, tourna de nouveau rue Saint-Paul, puis revint vers le Château par Saint-Claude. Sans avoir attiré l'attention des policiers de garde, il avait une vue parfaite sur la cour arrière du Château.

Godefroy s'appuya contre le mur de pierre grise. Dans la pénombre, il était complètement invisible. Il essaya en vain de trouver une position confortable, fourra les mains dans les poches de son manteau et se mit à surveiller les alentours. Il ne restait plus qu'à attendre… et à espérer. De l'autre côté de la rue, les fenêtres du Château Ramezay étaient illuminées.

L'exposition était enfin prête. Après tout ce travail, McLachlan arrivait à peine à croire qu'il avait vraiment terminé. Il fit une dernière fois le tour des salles, admirant les vitrines remplies de trésors historiques, les murs couverts de tableaux, les armoires aux tablettes pleines de beaux livres à la tranche dorée. Et il n'avait pas pu tout exposer. Il lui aurait fallu dix fois plus de salles! Demain serait un grand jour. Les visiteurs allaient être émerveillés. Quel dommage que le pauvre juge Baby ne soit pas là pour en prendre le mérite. Après tout, c'était lui qui avait travaillé le plus fort pour doter Montréal d'un grand musée d'histoire.

McLachlan monta à l'étage et prit son manteau sur la patère dans son bureau. Il redescendit le bel escalier presque deux fois centenaire et fit une dernière fois le tour des salles, s'assurant que la porte arrière et toutes les fenêtres étaient bien fermées, éteignant les lampes à huile les unes après les autres. Puis il se dirigea vers le vestibule. Il fouilla dans la poche de son gilet à la recherche de sa montre. Vingt heures dix. Il devait se reposer. Il reviendrait tôt le lendemain pour voir aux derniers détails. Il verrouilla la porte, salua les policiers au passage et, d'un pas rapide, s'engagea dans la rue Notre-Dame en jetant de temps à autre des regards inquiets derrière lui. Depuis qu'il avait été attaqué et que le pauvre juge avait disparu, il était très nerveux dans le noir.

Il était presque vingt-deux heures. McLachlan était parti depuis un bon moment, laissant le Château dans le noir. Godefroy s'ennuyait à mourir. Depuis une heure, il n'était pas passé deux personnes devant lui. Il bâilla de fatigue et s'étira. Tout à coup, il aperçut une silhouette au loin. Un homme marchait lentement, l'air de rien. Godefroy soupira de lassitude et le regarda s'approcher.

L'homme passa devant le Château Ramezay et s'arrêta un instant pour faire la conversation avec les policiers. Après quelques minutes, il souleva poliment sa casquette et prit congé d'eux. Un lampadaire éclaira brièvement son visage. Godefroy reconnut aussitôt sa face de furet, ses lunettes épaisses et sa barbe soigneusement taillée. Aucun doute : c'était Silas Creasy !

Comme convenu, Godefroy se passa aussitôt la main dans les cheveux trois fois. Il fixa sur le petit homme un regard anxieux, craignant de le perdre de vue et de tout faire rater. Creasy disparut rue Saint-Claude. Quelques instants plus tard, Godefroy aperçut une faible lumière qui se déplaçait à l'intérieur du Musée, d'une fenêtre à l'autre, dans le dos des policiers.

De sa cachette entre deux édifices, Alphonse observa Creasy en hochant la tête en signe d'approbation. Il ne pouvait qu'éprouver de l'admiration pour un homme qui parvenait à crocheter une serrure plus rapidement que lui. Creasy referma la porte derrière lui. Il était dans le Musée. Alphonse n'avait plus qu'à attendre.

●

Il ne fallut que quelques minutes à Creasy pour repérer l'Acte constitutionnel, bien en évidence dans la vitrine. Une dizaine de minutes plus tard, il ressortit du Château. Il referma la porte arrière sans bruit, la verrouilla et, après avoir jeté un coup d'œil prudent aux alentours, se mit en marche. Une fois dans la rue Notre-Dame, il repassa devant les policiers qu'il salua au passage et s'éloigna d'un pas absolument normal, les mains dans les poches.

Godefroy avait beau regarder partout, il n'apercevait Alphonse nulle part. Pourtant, il devait prendre Creasy en filature! Il sortit un peu de sa cachette afin d'être plus visible et se passa frénétiquement la main dans les cheveux. Rien. Creasy s'éloignait et personne ne le suivait! Déjà, il avait atteint la rue

Saint-Vincent, deux intersections plus loin. Godefroy était déchiré. Alphonse lui avait ordonné de ne pas bouger quoi qu'il arrive. Mais s'il restait planté là, Creasy allait disparaître et, avec lui, toute chance de retrouver le juge. Il étira le cou pour vérifier une fois de plus si Alphonse ne serait pas en train de filer l'Américain. Rien. Creasy s'éloignait sans être inquiété. Terrifié, Godefroy déglutit bruyamment et s'engagea discrètement dans la rue Notre-Dame, à la poursuite de l'Américain.

Dans la pénombre, Alphonse observait le petit qui suivait maladroitement Creasy. Maintenant, tout irait comme sur des roulettes...

Ignorant tout de l'art de la filature, Godefroy s'assurait de rester à une bonne distance de Creasy et faisait tout son possible pour que le bruit de ses pas ne trahisse pas sa présence. Il longeait les façades des bâtiments et tentait de rester loin des lampadaires. Dans la nuit, la rue Notre-Dame endormie prenait une allure inquiétante. La fraîcheur nocturne avait fait se lever un léger brouillard. Les façades de pierre grise des grands édifices de trois étages, sans la moindre lumière aux fenêtres, créaient une atmosphère oppressante et semblaient vouloir se refermer sur lui. Les auvents des nombreux commerces, vidés de leurs marchandises jusqu'au lendemain matin, recouvraient en partie les trottoirs vides. Sous chacun d'eux, Godefroy imaginait Creasy qui l'attendait. Le décor lui rappelait celui de Londres, où Jack l'Éventreur avait assassiné plusieurs prostituées huit ans plus tôt, et dont il avait vu des images dans les journaux du juge.

L'Américain marcha jusqu'à la rue Saint-Urbain, enjamba les rails du tramway qui se trouvaient au milieu de la voie et prit à gauche rue Saint-Sulpice en direction de celle de la Commune, qui longeait le fleuve Saint-Laurent et menait vers le port. Godefroy hâta le pas pour le rattraper et emprunta à son tour la rue Saint-Sulpice. Il s'arrêta net. Creasy s'était volatilisé. Pourtant, il n'avait pas pu parcourir aussi vite la distance qui le séparait de la rue de la Commune. Godefroy ne l'avait perdu de vue que quelques secondes.

Le garçon fut ramené à la réalité par le crissement de chaussures sur le gravier de la rue, derrière lui. Puis tout devint noir.

8

RETOURNEMENT

Lorsque Godefroy entrouvrit les yeux, une douleur intense lui vrilla la tête et le fit grimacer. Il prit quelques grandes inspirations et recouvra lentement ses esprits. Il essaya de porter la main à sa tête mais en fut incapable. Les yeux à demi clos, il tenta d'évaluer la situation. Il était assis sur une vieille chaise droite, les mains liées derrière le dos, les chevilles solidement attachées. On lui avait fourré un mouchoir dans la bouche et il avait peine à respirer. Une lampe à huile éclairait la pièce. Autour de lui, tout était délabré et crasseux. La peinture des murs pelait et laissait entrevoir le bois des planches. Le plancher de bois était taché. Pour autant qu'il puisse le déterminer, il n'y avait qu'une seule fenêtre.

De l'autre côté de la pièce, trois hommes penchés au-dessus d'une table lui tournaient le dos. Sur celle-ci se trouvaient deux bouteilles remplies d'un liquide incolore.

— *It's not the right one*[1]! ragea l'un d'entre eux.

— *Are you absolutely sure*[2]? demanda un autre.

— *Of course I am, you idiot*[3]! explosa le premier en chiffonnant le document.

D'un geste plein de dépit, l'homme lança la boule de papier contre le mur. Puis, il se retourna vers Godefroy. Le visage rond, la calvitie, la moustache, un air de comptable… Robert Pinkerton! À ses côtés se tenaient Silas Creasy, l'air penaud, et James Simmons, avec sa face de boxeur, le bras soutenu par une écharpe.

— *Well, well… Look who's awake…* dit Simmons en apercevant Godefroy, un sourire cruel lui éclairant le visage… *He'll know where it is*[4]…

Pinkerton se leva et s'avança vers Godefroy, l'air menaçant. Il s'approcha de lui, expira bruyamment par les narines, saisit le mouchoir et le lui retira sèchement de la bouche.

1. Ce n'est pas le bon!
2. En es-tu absolument certain?
3. Bien sûr, espèce d'idiot!
4. Tiens, tiens. Regardez qui vient de se réveiller. Lui, il va savoir où il se trouve.

— *Where is the treaty?* demanda-t-il d'une voix gonflée de colère. *Tell me where it is[1]!*

Godefroy regarda l'homme sans comprendre.

— *He doesn't understand English,* dit Creasy, l'air dégoûté. *He's a Pea Soup, remember[2]?*

Pinkerton se pencha vers Godefroy jusqu'à ce que leurs nez ne soient qu'à quelques centimètres l'un de l'autre.

— Où est le traité? répéta-t-il cette fois dans un mauvais français.

— Je ne sais pas de quoi vous parlez, répondit Godefroy d'une toute petite voix.

— *Very well[3]*, dit Pinkerton en souriant. Je n'ai pas de temps à perdre.

Il fit signe de la tête à Creasy qui traversa la pièce et sortit un revolver de l'étui qu'il portait sous le bras gauche. L'air menaçant, il s'avança vers Godefroy et pointa son arme sur lui. Tremblant de terreur, le jeune garçon ferma les yeux de toutes ses forces pour empêcher des larmes d'en sortir. Il entendit les pas de Creasy s'approcher, s'approcher... puis passer à côté de lui. Étonné, il rouvrit les yeux et chercha l'Américain.

1. Où est le traité? Dis-moi où il est!
2. Il ne comprend pas l'anglais. N'oublie pas que c'est un *Pea Soup*.
3. Très bien.

Creasy se tenait en retrait derrière Godefroy. Il avait appuyé son revolver contre la tempe d'un homme attaché, comme lui, sur une chaise et bâillonné. Le juge!

— Papa! s'écria Godefroy.

— Dis-moi où est le traité *or else he dies*[1], menaça Pinkerton en souriant méchamment.

Les lèvres tremblantes, Godefroy ne savait plus quoi faire. Sauver le juge ou sauver le pays? Haletant, il regardait partout autour de lui, espérant voir apparaître Alphonse. Pinkerton tira le chien de son revolver vers l'arrière et appliqua une pression menaçante sur la gâchette.

— Non! Arrêtez! hurla Godefroy. Je vais tout vous dire! Le traité est…

— … en sécurité, entre les mains de la Police provinciale, interrompit une voix posée provenant de l'autre côté de la pièce.

Alphonse, debout dans le cadre de la porte, tenait les Américains en joue avec son revolver. Il avait profité du fait que toute l'attention était fixée sur Godefroy et le juge pour entrer en catimini. Il enfouit dans une poche l'instrument avec lequel il avait crocheté la serrure.

1. Ou bien il meurt.

— Alphonse! s'écria Godefroy, submergé par le soulagement.

— Allez, messieurs. Déposez gentiment ces armes par terre, je vous prie, ordonna calmement Alphonse.

Les Américains hésitèrent un instant puis, n'ayant guère d'autre choix, obtempérèrent.

— Très bien, dit Alphonse. Maintenant, envoyez-les par ici. Tout doucement.

Un à un, ils poussèrent leurs revolvers vers lui du bout du pied. D'une seule main, sans quitter les Américains des yeux, Alphonse éjecta le barillet de chacune des armes et fit choir sur le sol les six balles qu'il contenait Il les ramassa et les fourra dans la poche de son manteau.

— Maintenant, messieurs, vous seriez bien aimables de vous asseoir tranquillement, les deux mains bien à plat sur la table. Sauf vous, mon pauvre Simmons. Quelqu'un vous a blessé, on dirait, dit-il d'un ton espiègle. Dans votre cas, une seule main suffira.

Les trois Américains s'exécutèrent. Furieux, Simmons fixait Alphonse avec l'air d'un chien enragé prêt à mordre.

— Vite, libère-moi! Et le juge aussi! supplia Godefroy en tirant sur ses liens.

Alphonse s'avança vers lui, se pencha et ramassa sur le sol le bâillon que Pinkerton lui avait enlevé. Il en fit une boule bien serrée et la lui fourra brusquement dans la bouche.

— Désolé, petit, dit-il, une expression de regret sur le visage. Si tu étais resté tranquillement chez toi au lieu de me suivre, l'autre nuit, tout aurait été tellement plus simple. Tu es vraiment trop curieux…

Il se retourna ensuite vers Pinkerton qui, bien que toujours rouge de colère, semblait maintenant l'observer avec curiosité.

— Monsieur Pinkerton, je présume aussi que vous aimeriez bien mettre la main sur le traité américano-britannique de 1838 ?

— *Of course I would! You know that[1]!*

Silencieux, Pinkerton attendait de voir où son interlocuteur voulait en venir. Alphonse fit quelques pas à travers la pièce, son revolver toujours pointé sur les Américains, en se frottant le menton de l'autre main comme quelqu'un qui réfléchit.

— Il se trouve que je sais où il est. L'occasion m'apparaît donc propice à d'honnêtes négociations… Dites-moi, si l'envie me prenait de vendre le traité au lieu de le détruire, combien croyez-vous que votre gouvernement serait disposé à payer pour mettre la main dessus ?

1. Bien sûr ! Vous le savez bien !

Pinkerton fit un sourire de dégoût en hochant la tête…

— *You dirty bastard*[1]… cracha-t-il, l'air entendu.

— Alors? Cette somme? insista Alphonse.

— Vingt mille dollars, répondit Pinkerton, un rictus d'écœurement sur le visage.

— Comptant, évidemment.

— *Don't be ridiculous*[2]. Vous savez bien que je n'ai pas une telle somme sur moi.

— Quel dommage…

— *But I have a bank draft*[3].

— Ah… Ça, c'est déjà mieux, dit Alphonse en soulevant un sourcil amusé. C'est aussi bon que du comptant. Vous aviez vraiment tout prévu, on dirait.

L'Américain fit mine de se lever.

— Pas si vite! dit Alphonse en pointant son revolver dans sa direction.

— *The draft is in my jacket*[4], expliqua Pinkerton.

Alphonse se dirigea vers la chaise sur laquelle Pinkerton avait déposé sa veste. Il fouilla dans la poche intérieure et en sortit un papier qu'il déplia.

1. Sale bâtard.
2. Ne soyez pas ridicule.
3. Mais j'ai une traite bancaire.
4. La traite est dans ma veste.

— Vingt mille *American dollars*[1], dit Pinkerton. Ils sont à vous dès l'ouverture des banques demain matin.

— Hmmm… C'est dangereux de vous promener avec autant d'argent sur vous, vous savez. Des gens sans scrupules pourraient vous le voler… Marché conclu! s'exclama Alphonse en repliant la traite bancaire pour la mettre dans la poche de son paletot. C'est un vrai plaisir de faire des affaires avec vous. Je vous ramène le traité.

Toujours assis, Pinkerton saisit un petit pistolet qu'il portait à la cheville et le pointa sur Alphonse.

— *We seem to be deadlocked*[2], dit-il l'air satisfait. *You think I'm dumb enough*[3] pour vous laisser partir avec l'argent et que je vais sagement attendre que vous me rameniez le traité? Alphonse fut pris de court.

— D'accord, rétorqua-t-il après un moment de réflexion. Nous y allons ensemble, vous authentifiez le traité sur place et nous nous quittons bons amis, moi avec l'argent, vous avec le document.

---

1. Dollars américains.
2. Il semble que nous soyons dans une impasse.
3. Vous ne croyez quand même pas que je sois aussi bête.

— *OK… it's a deal*[1]. Si vous tentez quoi que ce soit, le vieux et le petit vont y passer.

— Ah? Et après?

Pinkerton et Alphonse rangèrent leur arme. L'Américain se leva et se retourna vers Simmons et Creasy.

— *You stay with them until I return*, ordonna-t-il. *Then we'll get rid of them*[2].

Pinkerton empoigna les deux bouteilles dont il aurait besoin pour révéler l'encre invisible du traité et les mit dans ses poches. Désespéré, Godefroy regarda Alphonse et son nouveau complice se diriger vers la porte. Avant de sortir, les yeux de Pinkerton croisèrent brièvement ceux de Creasy et il lui fit un signe de tête presque imperceptible. Creasy répondit en relevant le sourcil.

L'inspecteur Ménard n'avait pas sommeil. La disparition du juge Baby l'obsédait et il n'avait pratiquement pas fermé l'œil depuis le début de l'enquête. Il était passé vingt-trois heures. À cette heure, il aurait dû

---

1. OK. Marché conclu.
2. Restez avec eux jusqu'à mon retour. Ensuite, nous nous en débarrasserons.

être au lit depuis longtemps. Au lieu de cela, il était dans son bureau, devant sa huitième tasse de thé de la journée, qu'il n'avait pas touchée. Calé dans son vieux fauteuil de cuir, les mains en triangle devant son visage, le menton appuyé sur ses pouces, il tapotait distraitement ses deux index l'un contre l'autre.

Ménard soupira et se frotta les yeux. Il avait lu récemment un roman mettant en vedette un détective londonien. Quel était son nom, déjà ? Holmes… Sherlock Holmes… Un étrange personnage cocaïnomane et violoniste virtuose qui, pipe au bec, élucidait d'épais mystères par la seule puissance de son raisonnement… Que disait-il, déjà ? *Lorsque vous avez éliminé l'impossible, ce qui reste, si improbable soit-il, est nécessairement la vérité…* Somnolent, Ménard laissa son esprit associer librement les éléments d'information dont il disposait, en espérant qu'il en sorte quelque chose de tangible.

Le juge était disparu du Château Ramezay alors qu'il aidait le conservateur à installer les objets anciens qu'il avait donnés au Musée… Les ravisseurs ne s'étaient pas contentés de l'enlever ; ils avaient aussi fouillé ses caisses… Ce n'était donc pas lui qu'ils voulaient… Ils étaient à la recherche de quelque chose de précis… Quelque chose qui se trouvait au Musée… Ou quelque chose qu'ils croyaient trouver au Musée… Pourtant, ils avaient enlevé le juge… Donc, ils n'avaient pas trouvé ce qu'ils cherchaient… À preuve : ils étaient revenus au Musée pour fouiller de nouveau les lieux et ils avaient aussi cambriolé le domicile du magistrat et questionné madame Baby… Ce qui voulait dire qu'ils cherchaient toujours… Mais que cherchaient-ils exactement ? Un «Acte», selon ce que madame Baby lui avait dit. Mais lequel ? Des documents historiques, il y en avait des centaines dans ce musée. Un document, c'était difficile à dénicher dans un tas d'autres documents semblables… Pourtant, ils savaient lire, ces types, non ? Alors, ils auraient dû mettre la main dessus… À moins de ne pas savoir exactement de quel document il s'agissait… Dans ce cas, pourquoi s'entêtaient-ils ainsi ? Pourquoi ne pas prendre le temps de réfléchir ? Parce qu'ils étaient pressés ? Désespérés ? Parce que le document valait très cher ? Parce que quelqu'un d'autre le cherchait aussi ?

Non… Il manquait une pièce au casse-tête… L'inspecteur claqua la langue avec dépit. C'était tellement plus facile de résoudre un mystère dans les romans que dans la vraie vie. Et puis, il n'était pas Sherlock Holmes… Il n'était qu'un modeste inspecteur de la police municipale qui était monté en grade au fil d'enquêtes sans importance. Dépité, il se frotta les yeux, secoua la tête en soupirant et prit le journal *La Minerve* du matin, qui traînait sur sa table de travail et qu'il n'avait même pas eu le temps de lire. Il le consultait distraitement lorsqu'un entrefilet au bas de la première page attira son attention.

Ménard se redressa dans son fauteuil, sa somnolence soudainement évanouie. Il devait se rendre au Château Ramezay immédiatement. Il n'y avait pas une seconde à perdre. Il bondit sur ses pieds, mit son chapeau et son manteau, et sortit au pas de course.

9

SOUS LES VOÛTES DU CHÂTEAU

Alphonse et Pinkerton étaient partis depuis quelques minutes quand Creasy ramassa son revolver sur le sol et fouilla dans sa poche de pantalon en quête de balles qu'il inséra dans le barillet. Il mit ensuite l'arme dans un étui qu'il portait à la ceinture. Il en fit autant avec celle de Simmons et la posa devant lui sur la table. Il sortit dans la nuit. Soudain, tout devint clair pour Godefroy: Creasy allait suivre son patron jusqu'au Château, attendre qu'il ait le traité authentique en main et éliminer Alphonse. Les Américains n'auraient plus qu'à repartir avec le traité et leurs dollars!

Godefroy fut envahi par un profond découragement. Depuis le début, Alphonse l'avait utilisé sans le moindre scrupule. Pire encore: il avait trahi sa nation et son pays. À lui seul, il venait de changer à jamais l'histoire de la province de Québec et du Canada tout entier. Et pour rien, en plus. Au lieu de devenir riche, il allait être abattu comme du vulgaire gibier par des professionnels. Le garçon n'était pas dupe : les Américains ne les gardaient en vie, le juge et lui, que comme police d'assurance, au cas où Alphonse ne livrerait pas la marchandise. Une fois qu'ils posséderaient le traité, les Américains les élimineraient sans le moindre remords.

Simmons était toujours assis à la table, son revolver posé devant lui. L'air nonchalant, il semblait somnoler, mais Godefroy n'en croyait rien. Un tel individu était toujours aux aguets. Il regarda du côté du juge. Le vieil homme était complètement immobile, la tête affaissée sur le torse. Il ne semblait même pas respirer. Soudain, le juge se mit à hoqueter. Son corps s'arqua sur sa chaise. Son visage s'empourpra. Malgré son bâillon, il devint évident qu'il râlait. Godefroy se mit à s'agiter sur sa chaise pour attirer l'attention de leur geôlier.

Simmons ouvrit les yeux et observa un moment la scène. Il se leva et se dirigea vers le juge.

— What now[1] ? grommela-t-il avec impatience.

Pour toute réponse, le juge hoqueta de plus belle. Alarmé, Simmons fronça les sourcils et lui retira son bâillon

1. Qu'est-ce qui se passe encore ?

— *You OK[1]?* demanda-t-il.

Le juge tentait d'inspirer mais n'y parvenait pas. Son visage virait au bleu et ses yeux se révulsaient. Il étouffait.

Simmons retira son bâillon au vieux magistrat et se mit à défaire ses liens, maudissant sa blessure qui limitait les mouvements de sa main. Le patron avait bien dit qu'il désirait garder l'homme en vie pour le moment. Il finit par libérer les mains du prisonnier et se pencha pour délier ses chevilles. Pendant qu'il était accroupi, le juge reprit soudainement vie. Il se pencha et, avec une vivacité étonnante pour un homme perclus de rhumatismes, saisit sa canne. D'un même mouvement, il prit un élan et en asséna un grand coup sec directement sur le bras blessé de son ravisseur.

Simmons hurla de douleur. Il s'effondra au sol en grimaçant, tenant son bras droit avec sa main gauche. Le juge lui appliqua des grands coups de canne sur la tête jusqu'à ce qu'il soit totalement immobile.

Le vieil homme s'empressa de libérer son autre main, puis ses chevilles. Il se leva et se précipita vers Godefroy, lui retira délicatement son bâillon et se baissa pour défaire les

---

1. Ça va?

liens qui retenaient ses poignets. Pendant qu'il y travaillait, il leva les yeux vers son fils adoptif.

— Pas mal pour un vieux monsieur plein de rhumatismes, non ? dit-il en souriant.

— Alors, vous n'étiez pas malade ? s'enquit Godefroy, la voix encore étranglée par l'angoisse. J'ai cru que vous alliez mourir. Vous étiez tout rouge, puis presque bleu…

— J'ai fait un peu de théâtre au Collège de Joliette quand j'étais jeune. Finalement, ça m'aura bien servi…

Le juge finit de libérer les chevilles de Godefroy et se releva péniblement. Appuyé sur sa canne, il considéra un instant la forme inerte de Simmons.

— Mon Dieu… Quelle histoire de fous, soupira-t-il en secouant la tête. Un traité secret que je suis censé posséder… Je n'y comprends absolument rien. Ils auraient eu beau me torturer pendant des semaines, je n'aurais rien pu leur dire, moi, à ces bandits…

Le juge sortit de sa rêverie.

— Viens, dit-il. Il vaudrait mieux ne pas être ici lorsque cet individu se réveillera.

Godefroy se mit sur ses pieds en frottant ses poignets douloureux. Il se dirigea vers Simmons et, ramassant les grosses cordes rêches avec lesquelles le juge et lui avaient été ligotés, lui attacha les chevilles, puis lui lia les mains derrière le dos.

— Comme ça, il restera bien tranquillement ici, dit-il à son père.

— Viens, répéta le magistrat. Nous devons raconter immédiatement toute cette histoire à la police. Ils y comprendront peut-être quelque chose, eux.

— Je crois que je peux pas mal tout expliquer moi-même.

Ensemble, le juge et Godefroy franchirent la porte et descendirent un escalier qui menait vers l'extérieur. Ils se retrouvèrent rue de la Commune, en pleine nuit, et remontèrent Saint-Sulpice vers Notre-Dame. Fatigué et ébranlé, le juge s'appuyait lourdement sur sa canne et avançait avec difficulté. Godefroy lui résuma ce qu'il comprenait de la situation : le traité secret qu'il avait acheté sans le savoir et qu'il avait donné au Musée du Château Ramezay ; Alphonse, qui était en réalité un policier chargé de retrouver le traité pour le détruire ; et l'agence Pinkerton qui cherchait à mettre la main sur le traité au nom du gouvernement américain.

— Voilà, termina-t-il. Le reste de l'histoire, vous le connaissez. Finalement, Alphonse n'est qu'un policier véreux qui a fait marcher tout le monde, y compris moi.

— Dire que j'ai engagé ce voyou en toute bonne foi, grommela le juge. Un policier et un bandit à la fois! J'ai été doublement floué!

Le vieil homme se renfrogna. L'amateur d'histoire en lui mesurait pleinement les conséquences qu'aurait le traité anglo-américain si jamais il était mis en œuvre.

— C'est invraisemblable… Absolument invraisemblable. Ce traité bouleverserait à jamais le sort de la province. Le pays tout entier risquerait d'éclater. Mon Dieu… Et ces hommes qui sont en chemin vers le Château… Vite. Il n'y a pas une seconde à perdre. Il faut alerter la police.

Ils hâtèrent le pas, le juge clopinant douloureusement en s'aidant de sa canne et en pestant contre ses rhumatismes. Rue Notre-Dame, Godefroy aperçut au loin un carrosse immobilisé et emmena le juge dans cette direction. Somnolant sur son banc, le cocher attendait son patron. Son cheval, la tête basse, mâchonnait une poignée de foin qui avait été déposée sur les pavés. Le juge réveilla le cocher de quelques coups de canne bien sentis contre la porte du carrosse. L'homme sursauta.

— Hein? Quoi? Que se passe-t-il?

— Au poste de police le plus proche, répliqua le magistrat. Et vite!

— Mais je ne suis pas à votre service, moi, monsieur, rétorqua l'homme, indigné. Je suis le cocher de…

— Je m'intéresse à votre patron comme à vos premières culottes, explosa le vieil homme. Je suis le juge Baby. Je viens d'échapper à mes ravisseurs! Je dois aller immédiatement à la police! Si votre patron est aussi important que vous semblez le croire, il me connaîtra certainement! Je m'expliquerai avec lui plus tard.

Le cocher écarquilla les yeux. Il avait visiblement entendu parler de la mystérieuse disparition du juge.

— Vraiment? Le juge Baby? Tout Montréal vous croit mort… Montez, dit-il en se redressant fièrement sur son siège.

Godefroy aida le juge à se hisser dans le carrosse et attendit qu'il soit bien assis. Les paroles qu'Alphonse avait prononcées lui tournoyaient dans la tête. *L'avenir de la province passe avant la vie d'un individu*. Il prit une décision et referma brusquement la porte.

— Le juge Baby n'est pas bien, dit-il rapidement au cocher. Je crois que la captivité l'a affecté. Ne croyez rien de ce qu'il vous raconte et ne vous arrêtez pas avant de l'avoir déposé à un poste de police.

— Compte sur moi, petit! répondit l'homme, l'air d'un soldat en mission.

Le carrosse s'éloigna à toute vitesse au son des protestations indignées du juge, étouffées par le bruit des sabots sur le sol.

Le temps pressait et ce n'était pas le moment de faire dans la dentelle. Avec l'aide de Pinkerton, Alphonse avait pris les deux policiers par surprise et ils étaient maintenant allongés par terre, là où personne ne les verrait. En un rien de temps, Alphonse crocheta la serrure du Musée. Il remit l'instrument dans sa poche, entra et fit signe à Pinkerton de le suivre. L'Américain obtempéra et referma derrière lui.

— Bienvenue au Musée du Château Ramezay, dit Alphonse, debout au milieu du hall.

— Taisez-vous, imbécile, siffla Pinkerton. On va vous entendre.

— Ne vous en faites pas. Ils n'ont pas encore engagé de gardien de nuit.

— Où est le traité?

— Dans la cave. Suivez-moi.

Alphonse alluma la lampe à huile que McLachlan avait laissée dans le hall en partant, et entraîna l'Américain à sa suite. Les deux hommes traversèrent la succession des salles vers l'escalier qui menait à la cave.

À l'extérieur, Creasy, dissimulé dans le noir le long du Château, surveillait les fenêtres et attendait le moment propice pour agir. Quelques minutes plus tôt, Pinkerton et le *Pea Soup* étaient entrés puis une lumière s'était allumée. Il avait pu en suivre le déplacement d'une fenêtre à l'autre jusqu'à ce qu'elle disparaisse. Il jeta un coup d'œil aux alentours. Pas de policiers en vue. Pinkerton avait fait son boulot... Il monta l'escalier et testa prudemment la serrure. Il sourit. Comme il s'y attendait, le patron avait laissé la porte déverrouillée. Il sortit son revolver et entra. Il s'assura de ne pas verrouiller, lui non plus, histoire de faciliter leur fuite si le besoin s'en faisait sentir.

À bout de souffle après avoir couru plusieurs pâtés de maisons, Godefroy s'arrêta devant l'hôtel de ville. En évitant la lumière des lampadaires, il observa le Château. Les environs du bâtiment semblaient tranquilles. À l'intérieur, aucune fenêtre n'était éclairée. Il n'y avait pas le moindre policier en vue. C'était prévisible… Il traversa la rue.

Pinkerton examinait la cave avec méfiance. Mis à part une paire de vieilles chaises droites et un vieux rouet, la pièce était complètement vide. Dans la faible lumière de la lampe à huile que tenait toujours Alphonse, les voûtes massives paraissaient plus basse, prêtes à engloutir les visiteurs.

— *There is nothing here!* s'exclama l'Américain avec colère. *I don't have time for games*[1]!

— Effectivement, répondit Alphonse en survolant la pièce des yeux avec dérision. On ne vient dans la cave que de temps à autre pour déposer des caisses vides.

— Alors, pourquoi m'avez-vous emmené ici?

---

1. Il n'y a rien, ici! Je n'ai pas le temps de jouer!

Sans répondre à la question, Alphonse s'approcha du mur et se mit à le caresser d'une main avec insouciance.

— Non mais, vous avez remarqué l'épaisseur des voûtes ? demanda-t-il en donnant à la pierre quelques coups de paume. On n'en fait plus des comme ça de nos jours. Toutes en pierre et en mortier. Et épaisses à part ça.

Sans prévenir, il sortit son revolver et le pointa vers Pinkerton.

— Je suis certain que ça étoufferait même le bruit d'un coup de feu.

Pinkerton le regardait, le visage contorsionné de mépris.

— Allons, allons, reprit Alphonse, n'ayez pas l'air si surpris. Vous n'avez tout de même pas cru que je vous donnerais le traité pour vingt mille dollars ? Ça vaut beaucoup plus. Et puis, vous aviez sans doute prévu m'éliminer une fois que vous auriez le traité. Hmmm ? Je me trompe ?

Pinkerton resta silencieux.

— Vous me permettrez tout de même de conserver l'argent ? continua Alphonse en tapotant la poche de son paletot. Pour le dérangement… Et puis, là où vous allez, vous n'en aurez pas besoin. Ensuite, je vendrai directement le traité à votre gouvernement.

Alphonse allongea le bras et pointa le revolver vers la tête de Pinkerton, le doigt sur la gâchette.

— Ce fut un honneur de vous connaître, cher monsieur. Ce n'est pas tout le monde qui peut se vanter d'avoir été plus rusé que Robert Pinkerton!

Godefroy gravit les marches du perron du Château et testa la porte. Elle s'ouvrit sans résistance. Quelqu'un était déjà passé. Alphonse? Pinkerton? Creasy? Étaient-ils tous repartis? Et lui, était-il arrivé trop tard? Il hésita brièvement devant la porte entrouverte, puis prit son courage à deux mains. Sur la pointe des pieds, il entra et demeura dans le hall sans bouger en tendant l'oreille dans le noir. Le sentiment de danger qui l'habitait rendait le silence menaçant.

— *Drop your gun*, dit calmement une voix derrière Alphonse. *Now*[1].

Pinkerton regarda Alphonse en souriant.

---

1. Laissez tomber votre arme. Tout de suite.

— Et vous? Vous ne pensiez tout de même pas que je vous faisais confiance? demanda-t-il d'un ton moqueur. Si j'étais à votre place, j'obéirais à monsieur Creasy. *He's rather trigger-happy*[1].

D'un geste rageur, Alphonse laissa tomber son revolver sur le plancher de brique. Pinkerton le ramassa, puis se mit à se promener, les mains derrière le dos, en admirant la voûte. L'arrogance venait de changer de camp. Il se retourna vers Alphonse, un sourire menaçant sur les lèvres.

— Vous aviez raison. C'est construit très solidement. Bon. Assez joué. Rendez-moi le *bank draft* et dites-moi où est le traité.

— Il n'est pas ici, mentit Alphonse en tendant la traite à Pinkerton. Si vous me tuez, vous ne le retrouverez jamais.

— Qui parle de vous tuer? *Silas, if you please*[2]? se contenta de dire Pinkerton en faisant un élégant signe de la main vers Creasy.

○

---

1. Il a la gâchette un peu facile.
2. Silas, si tu veux bien?

Tremblant de peur, Godefroy ouvrit la porte à droite du hall, traversa la salle d'exposition et s'engagea dans l'escalier. À chaque pas, il posait délicatement le bout du pied sur les vieilles marches pour qu'elles ne craquent pas et s'arrêtait un moment en retenant son souffle, à l'affût du moindre bruit. Mais le Château était enveloppé d'un lourd silence. Il parvint finalement à l'étage et étira le cou en direction du corridor. Toutes les portes étaient closes.

Il s'avança jusqu'au bureau de McLachlan et colla l'oreille contre la porte sans rien entendre. Il entrebâilla celle-ci, dont le léger grincement lui fit dresser les poils sur la nuque, et jeta un coup d'œil craintif à l'intérieur. Dans la faible lumière de la lune, il pouvait apercevoir les papiers qui encombraient toujours la pièce. Il entra, referma avec une infinie prudence et s'avança. Il lui fallut un moment pour s'orienter dans le fatras du conservateur. Après quelques hésitations, il se dirigea vers la grande table du coin, où il avait vu McLachlan étendre le traité détrempé la veille, et fouilla parmi les papiers qui y étaient déposés.

Son cœur bondit dans sa poitrine. Le traité était toujours là! Il le saisit et l'inspecta nerveusement. Il était sec. Il s'approcha de la fenêtre et l'examina. L'encre de l'Acte constitutionnel avait un peu pâli, mais le document était encore lisible. Au verso, le traité secret, lui, avait complètement disparu. Godefroy était perplexe. Si quelqu'un était venu au Château avant lui, comment se faisait-il que le traité authentique soit toujours là ? Comme Pinkerton allait le tester sur place, Alphonse n'avait pas pu lui refiler un faux. Était-ce simplement que le policier véreux n'avait pas réussi à retrouver l'original ? Dans ce cas, l'Américain ne serait certainement pas parti sans tout mettre sens dessus dessous pour récupérer l'Acte constitutionnel. Quelque chose clochait… Il fallait sortir d'ici.

Il plia le document en quatre et le fourra dans sa poche de pantalon. Il le confierait au juge. Il saurait quoi en faire, lui. Il ouvrit la porte et se dirigea vers l'escalier. Au même moment, une détonation brisa le silence, suivie d'un cri.

Alphonse gisait sur le sol, le visage déformé par une grimace de souffrance. Il tenait son genou droit à deux mains et, sous sa jambe, une flaque de sang écarlate grandissait à vue d'œil sur le sol.

— Bon. Je vais répéter ma question, dit Pinkerton, les yeux brillants de cruauté.

Il approcha son visage à quelques centimètres de celui d'Alphonse.

— Où est le traité? demanda-t-il d'une voix grave en articulant soigneusement chaque mot.

Pour toute réponse, Alphonse émit un grognement de douleur. La sueur lui coulait le long des joues. Il leva les yeux vers Pinkerton et lui cracha au visage.

— *Come on, don't be a hero*[1], dit calmement l'Américain en s'essuyant avec son mouchoir comme si de rien n'était. *We're used to making people talk*[2]. Monsieur Creasy serait absolument ravi de continuer à vous — *What's the word*[3]? — à vous convaincre de collaborer. D'abord l'autre genou, puis les coudes, les pieds, les mains… Nous avons tout notre temps…

1. Allons… cessez de jouer au héros.
2. Nous avons l'habitude de faire parler les gens.
3. Comment dire?

Godefroy se figea sur place. Il y avait quelqu'un dans le Musée! Paralysé par la frayeur, il écouta, aux aguets. Il dut se faire violence pour bouger. Les jambes flageolantes, il commença à redescendre l'escalier, craignant à tout moment de voir surgir Pinkerton, Creasy ou Alphonse. À sa manière, chacun d'eux était dangereux. Et voilà qu'ils se tiraient dessus quelque part dans le Château! Mais comment avait-il pu être assez prétentieux pour s'imaginer que lui, Godefroy Coffin, du haut de ses treize ans, parviendrait à empêcher que le traité ne retourne aux États-Unis? Il était seul dans le noir, sans armes, sans expérience, sans le moindre plan d'action, contre trois professionnels.

La panique le gagnait. Il avait le traité. Il devait sortir du Château au plus vite, avant qu'on ne découvre sa présence. Arrivé au milieu de l'escalier, il n'y tint plus et se mit à descendre les marches quatre à quatre. Dans son empressement, il trébucha et atterrit lourdement sur le sol. Son élan l'entraîna jusqu'à une petite vitrine remplie de pièces de monnaie anciennes qu'il percuta violemment. Sous le choc, une des pattes se brisa et le meuble s'écroula sur le plancher dans un fracas de verre brisé.

Creasy, un sourire cruel sur les lèvres, pointa son arme vers le genou gauche d'Alphonse. Il prenait un plaisir pervers à l'idée de torturer ainsi celui qui leur avait causé tant de problèmes. Il savoura la pression croissante de son index sur la gâchette.

— *Wait!* murmura Pinkerton. *I heard something. Go check it out, quickly*, ordonna-t-il. *I'll stay here*[1].

---

1. Attends! J'ai entendu quelque chose. Va voir ce que c'est, fais vite. Moi, je reste ici.

10

AFFRONTEMENT

Sonné, Godefroy gisait sur le plancher de bois franc. Il se rassit péniblement et tenta de reprendre ses esprits, tâtant sa tête et son visage. Il sentit une vilaine bosse qui enflait au-dessus de son œil droit et constata qu'il avait des coupures sur les bras et les mains. Ébranlé, il examina les alentours. Non loin de lui, la vitrine gisait sur le sol jonché de morceaux de verre. Des pièces de monnaie avaient roulé un peu partout.

Un déclic métallique retentit dans le noir et le ramena brusquement à la réalité. Quelqu'un était tout près. Il essaya de se relever, mais une douleur atroce lui traversa la cheville droite et il retomba sur le sol en se mordant les lèvres pour étouffer un gémissement. Des pas. Quelqu'un approchait. Godefroy serra les dents et parvint à se remettre debout. Boitillant sans réfléchir vers le hall d'entrée en épargnant sa cheville blessée, il fonça tête baissée dans un obstacle mou qui émit un cri de surprise suivi d'un bruit sourd.

Creasy était par terre sur le côté, les mains sur le ventre. Le choc lui avait coupé le souffle et fait échapper son revolver, qui gisait non loin de lui. Godefroy l'enjamba du mieux qu'il put et se précipita vers la porte d'entrée. Il saisit la poignée à deux mains et tira de toutes ses forces. On l'avait verrouillée! Ça expliquait le déclic qu'il avait entendu. Il était coincé à l'intérieur. Il essaya frénétiquement de tourner le loquet de la serrure, mais ses mains couvertes de sueur par la panique glissaient sur le mécanisme. Un grognement de colère le fit se retourner. Creasy se relevait et tendait la main vers son arme.

Godefroy fonça en claudiquant dans la grande salle d'exposition. Sous le regard sévère des grands personnages suspendus aux murs, il chercha en vain un recoin où se cacher. Derrière lui, Creasy se rapprochait dangereusement. Godefroy fit irruption dans la salle suivante, déserte elle aussi. McLachlan y avait pratiquement complété l'exposition. Seules quelques vitrines étaient encore vides et sur une table étaient déposés les objets amérindiens qui leur étaient destinés. Instinctivement, Godefroy s'empara au passage d'un casse-tête en bois. Il s'agissait d'un gros maillet taillé tout d'une pièce dans une branche. L'arme n'était pas de taille contre un revolver mais le rassura un peu. Il sortit de la salle et s'élança à l'aveuglette dans l'escalier, sa cheville explosant de douleur chaque fois qu'il la posait sur une marche.

Arrivé dans la cave, il traversa tant bien que mal la première pièce, franchit la porte ouverte qui la séparait de la suivante et se blottit le dos contre le mur, à la droite de l'ouverture. La douleur de sa cheville était si intense qu'il devait se porter sur une seule jambe. Terrifié, il leva le casse-tête au-dessus de lui et attendit.

Dans le silence de la cave, il entendait les mouvements de Creasy. L'Américain s'était immobilisé au sommet de l'escalier, pressentant un guet-apens. S'arrêtant à quelques reprises pour tendre l'oreille, il descendit et traversa silencieusement la pièce. Il parvint à la porte qui s'ouvrait sur la pièce suivante, derrière laquelle Godefroy était terré.

Ce dernier serrait de toutes ses forces le manche du casse-tête. Tout près de lui, il entendait la respiration profonde et calme de l'Américain. Creasy s'était arrêté. Il savait que l'ouverture entre les deux pièces était l'endroit idéal pour le prendre par surprise. Le petit était blessé. Il avait peine à marcher. Il n'avait pas pu aller bien loin. Il sourit, sûr de lui, et attendit. De longues minutes s'écoulèrent sans que l'un ou l'autre, séparés par un simple mur de pierre, produisent le moindre son.

Sans avertissement, Creasy s'élança tout à coup dans la pièce, les bras tendus devant lui, le revolver dans la main droite, la gauche supportant son poignet. Il pivota sur sa gauche. Voyant que l'homme lui tournait le dos, Godefroy ferma les yeux et abattit le casse-tête de toutes ses forces sur son crâne. Il entendit un craquement sinistre et les rouvrit.

Devant lui, l'homme vacilla, laissa tomber son revolver et se retourna en titubant. Une expression d'incrédulité passa sur son visage lorsqu'il aperçut le garçon qui le regardait, les yeux écarquillés par la frayeur, un drôle d'objet dans les mains. Creasy tendit la main vers Godefroy et le saisit par la chemise. Puis ses yeux se révulsèrent et il s'écroula sur le sol. Horrifié, Godefroy demeura figé sur place. Il regarda le casse-tête, puis toucha craintivement la forme inerte de Creasy du bout de son pied blessé. L'homme n'eut pas la moindre réaction.

Sans attendre, Godefroy s'enfuit vers l'escalier. Il l'avait gravi de peine et de misère lorsqu'une voix retentit derrière lui.

— *Stop right there[1]!*

Godefroy se retourna. La douleur lui perça la cheville et il faillit perdre l'équilibre et débouler l'escalier. Il se retint tant bien que mal contre le mur. Au pied des marches, Pinkerton le tenait en joue avec son revolver.

— *Stay where you are[2]*, ordonna-t-il.

Le garçon déguerpit à toute vitesse, serrant les dents contre la douleur. Il retraversa les salles d'exposition, les pas de l'Américain se rapprochant derrière lui. Il venait d'atteindre le hall d'entrée lorsqu'un poids s'abattit lourdement dans son dos. Il se retrouva plaqué au sol, l'Américain couché sur lui.

Pinkerton saisit Godefroy par le collet de son manteau et lui frappa violemment la tête contre le plancher.

— Où est le traité??!! hurla-t-il en lui pointant son revolver sous le nez. *Tell me right now[3]!!*

Godefroy, paralysé par la peur, était complètement muet. Impatient, Pinkerton se mit à tâter ses vêtements de sa main libre. Il

1. On ne bouge plus!
2. Reste où tu es.
3. Dis-le-moi immédiatement!!

s'arrêta sur la poche droite de son pantalon et en sortit le traité.

Il se releva et se dirigea vers une fenêtre pour profiter de la lumière de la lune, déplia le traité d'une seule main, sortit de sa poche l'une des petites bouteilles qu'il avait emportées et dévissa le bouchon avec ses dents. Il versa le liquide incolore sur le document, laissa l'excédent s'écouler sur le plancher et attendit quelques instants. Un sourire de satisfaction éclaira son visage.

— *At last*[1]… murmura-t-il.

Creasy apparut dans le hall, titubant, une main sur la tête. Pinkerton se retourna et lui sourit.

— *We have it*, dit-il. *Let's go*[2].

Pinkerton replia le traité encore humide, le mit dans la poche intérieure de sa veste et se dirigea vers la porte avec son comparse. Il ouvrit et sortit, Creasy sur ses pas. Tout était fini. Godefroy avait perdu le traité et le Canada, une province.

---

1. Enfin…
2. Nous l'avons. Partons d'ici.

— Vous allez quelque part?

Pinkerton et Creasy s'arrêtèrent net. À quelques pas devant eux se trouvait l'inspecteur Ménard, l'air satisfait d'un matou qui vient d'avaler un oiseau, la moustache parfaitement cirée, le costume et le nœud papillon impeccables malgré l'heure tardive. Les mains dans les poches, le chapeau élégamment incliné sur le côté de la tête, il se balançait avec une nonchalance étudiée sur la plante des pieds. Derrière lui, une dizaine de policiers armés et en uniforme tenaient les Américains en joue.

— Désarmez-les. Et fouillez-les, lança Ménard. Je parierais ma chemise que vous allez trouver sur eux un document. Vous me l'apporterez.

Pinkerton, figé de surprise, n'avait pas bougé. Deux agents s'approchèrent et fouillèrent soigneusement les Américains pendant qu'un de leurs collègues les éclairait avec un fanal. Ils ramenèrent à l'inspecteur Ménard deux revolvers, quelques pièces de monnaie et deux documents pliés dont l'un était humide.

— Hmmm… fit Ménard. Aucune pièce d'identité… Vous avez quelque chose à cacher, messieurs?

Pour toute réponse, Pinkerton le gratifia d'un rictus méprisant avant d'être emmené avec Creasy vers un carrosse garé le long du trottoir.

— Embarquez-les, ordonna Ménard en regardant froidement Pinkerton droit dans les yeux

L'inspecteur déplia les documents et les examina à tour de rôle. Le premier était une traite bancaire pour une jolie somme en dollars américains. Le second était beaucoup plus intéressant. Il lut en travers l'Acte constitutionnel puis consulta le verso. Il releva brièvement un sourcil avant que son visage ne reprenne son expression flegmatique.

«Hmmm... Lorsque vous avez éliminé l'impossible, ce qui reste, si improbable soit-il, est nécessairement la vérité...» songea Ménard.

Il replia les deux documents, les mit dans sa poche, puis interpella un des policiers.

— Sergent? Demain, rappelez-moi de demander à consulter les dossiers de la Police provinciale, voulez-vous? Mon petit doigt me dit que nous allons découvrir que ces deux individus sont des Américains qu'il va falloir renvoyer discrètement chez eux.

Tout à coup, un homme se fraya un chemin à grands coups de canne à travers les autres policiers, qui n'eurent d'autre choix que de s'écarter pour lui céder le passage.

— Godefroy! Godefroy! Où es-tu, mon petit? hurlait le juge Baby en tapant à qui mieux mieux sur tous ceux qui osaient lui barrer le chemin.

Le vieil homme gravit l'escalier et pénétra dans le Château. Il aperçut Godefroy, l'air hagard, assis contre le mur. Même dans la pénombre, il était évident qu'il était couvert de coupures, l'œil droit presque fermé par l'enflure. Il se précipita vers lui et le prit dans ses bras.

— Godefroy! Tu es vivant… Mon Dieu… Tu es vivant… Mais qu'est-ce qui t'a pris de t'enfuir comme ça? Ces voyous auraient pu te tuer.

— Il fallait bien les empêcher, bafouilla Godefroy, épuisé.

L'inspecteur Ménard s'approcha et déposa un fanal sur la table du hall.

— Ce que tu as fait était aussi stupide que courageux, mon garçon, dit-il. Tu les as suffisamment retardés pour nous permettre d'arriver à temps. Juste comme nous partions, le juge est arrivé pour nous alerter. Nous sommes venus aussi vite que possible. Juste à point, à ce que je vois… D'autres agents sont déjà en train de cueillir le type que vous avez amoché rue de la Commune. Où est Métivier?

— En bas, dans la cave, je crois.

Ménard fit signe à ses hommes qui se mirent aussitôt en marche, arme au poing. L'inspecteur allait les suivre lorsqu'il s'arrêta et sembla réfléchir un instant. Il se retourna vers le juge et lui tendit le traité et la traite bancaire.

— Je pense que ceci vous appartient.

Interdit, le juge, toujours accroupi près de son fils adoptif, prit les papiers. Il retourna le traité et, dans la lumière du fanal, lut le texte qui s'y trouvait. Il écarquilla les yeux.

— C'était donc vrai... murmura-t-il, sidéré. Mais... Vous en aurez besoin comme pièce à conviction, dit-il à Ménard en relevant la tête.

L'inspecteur sourit et le regarda d'un air entendu.

— D'après ce que vous m'en avez raconté, il vaut mieux que ce document n'ait jamais existé. En ce qui me concerne, officiellement, vous avez été victime d'un enlèvement par des voyous américains qui voulaient vous extorquer de l'argent. Rien d'autre.

Il tendit au juge une boîte d'allumettes.

— Je ne fume pas, répondit le juge.

— Je sais, rétorqua Ménard d'un air complice.

— Et la traite bancaire ?

— Considérez-la comme un don anonyme au nouveau musée.

L'inspecteur porta la main à son chapeau, le souleva avec élégance par le devant et prit congé. Le juge regarda le traité, songeur. L'amateur d'antiquités en lui désirait plus que tout conserver ce document unique dont la valeur historique était sans pareille. Jamais un collectionneur canadien ne posséderait une pièce aussi précieuse, aussi significative. Grâce à elle, il pourrait réécrire à lui seul l'histoire du Canada, publier un livre qui assurerait à jamais sa renommée. Mais le citoyen en lui savait qu'il devait le détruire pour préserver son pays. La passion et le devoir se livraient une lutte sans merci, le déchirant de l'intérieur. Finalement, à contrecœur, il tira une allumette de la boîte et la craqua. Il lut une dernière fois le traité qui demeurerait toujours secret et, en grimaçant de dégoût, y mit le feu.

Un petit tas de cendres sur le sol du Château Ramezay était tout ce qu'il restait de la plus grande menace à avoir plané sur la nation canadienne-française depuis la Conquête anglaise de 1760. Quelques secondes plus tard, les policiers revinrent, escortant Alphonse, solidement menotté. Grimaçant de douleur, il avait peine à marcher sur son genou blessé, mais les policiers prenaient un malin plaisir à ne pas l'aider. En passant, il piétina la cendre sans s'en rendre compte, faisant disparaître les dernières traces de l'État américain du Québec.

— Viens, mon petit, dit le juge en aidant Godefroy à se relever. On rentre chez nous.

Il lui tendit sa canne.

— Tiens. Ce soir, tu en as davantage besoin que moi.

ÉPILOGUE

Montréal, le 6 avril 1896.

Adossé contre le mur du Château Ramezay, Godefroy était appuyé sur des béquilles.
Il regardait fièrement le juge, debout sur la
petite estrade que l'on avait érigée devant le
Musée pour la circonstance. Sa cheville fou-
lée était solidement bandée, son œil était
encore enflé et il avait des pansements et des
ecchymoses un peu partout, mais le docteur
Laflamme, appelé d'urgence durant la nuit,
l'avait assuré qu'il se sentirait bien dans
quelques jours. Dans son costume neuf, il se
tenait à côté de sa mère, resplendissante dans
une magnifique robe bleue qu'elle s'était fait
confectionner exprès pour la circonstance
quelques semaines plus tôt. Pour la première
fois depuis le début de cette terrible aventure, elle souriait. Elle regardait elle aussi le
juge, les yeux remplis de larmes de bonheur.
Elle avait été si près de le perdre…

Devant le podium, une foule de plus de
cinq cents personnes attendait que le juge
Baby prenne la parole. Le vieux magistrat se
racla la gorge. La foule devint silencieuse.

— Chers amis, chers amateurs d'histoire, déclara-t-il pour débuter. Avant d'aller plus loin, je sais que vous vous demandez tous ce qui a bien pu m'arriver ces derniers jours. Les rumeurs les plus folles ont couru, me dit-on. Rassurez-vous, je vais bien. Pour ceux qui ne le sauraient pas, j'ai été victime d'un enlèvement. Des malotrus se sont imaginé que j'étais riche!

La foule éclata de rire. Le juge reprit.

— Grâce à l'efficacité de l'inspecteur Ménard, de notre police municipale, mais surtout grâce au courage remarquable de mon petit Godefroy, qui n'a pas hésité à affronter seul mes geôliers et qui en porte d'ailleurs les marques, vous me voyez devant vous, un peu ébranlé mais en parfaite santé — sauf pour mes rhumatismes, évidemment.

La foule s'esclaffa de nouveau.

— Mais soyons sérieux. Aujourd'hui est un grand jour pour notre ville, notre province et notre pays. Nous inaugurons, après des années d'efforts motivés uniquement par l'amour de l'histoire, le Musée et la galerie des portraits du Château Ramezay. Je n'ai aucun doute qu'ils seront avant peu la principale curiosité de Montréal. Comme nos voisins américains, qui apportent un soin tout particulier à conserver les vieux monuments de leur histoire, nous pouvons maintenant nous enorgueillir de posséder une institution qui met en valeur notre passé mémorable et nos gloires nationales.

La foule applaudit avec enthousiasme.

— À lui seul, le Château Ramezay a vécu presque deux siècles d'histoire. Aucun endroit n'était davantage destiné à devenir un musée. Dorénavant, vous y trouverez aussi des centaines d'objets et de documents rares qui vous raconteront la Nouvelle-France, la province de Québec et le Canada moderne. Vous découvrirez une riche bibliothèque où vous êtes tous les bienvenus. Je suis convaincu que ce musée, auquel nous donnons naissance aujourd'hui, fera encore la fierté de nos compatriotes dans cent ans! s'écria-t-il. Sans plus tarder, je vous invite à entrer dans votre musée, où les membres du conseil de la Société d'archéologie et de numismatique vous attendent pour vous guider à travers des salles et des salles de trésors.

Le juge Baby hésita un instant, puis reprit.

— Je tiens finalement à vous annoncer qu'un gardien de nuit, monsieur Thomas O'Leary, veillera désormais à la sécurité du Château Ramezay. Il a même accepté d'y habiter afin d'être toujours sur place! La police pourra cesser de monter la garde!

La foule applaudit une dernière fois, longuement, et les gens se dirigèrent vers l'entrée. Ils allaient visiter un musée qui leur parlerait de ce pays qu'un simple document avait bien failli détruire.

Washington, D. C., mercredi 10 avril 1896.

Assis seul dans le bureau ovale, le président Cleveland relisait le rapport confidentiel que venait de lui remettre le secrétaire d'État aux Affaires extérieures. Il soupira et se frotta la racine du nez. L'entreprise avait échoué. Heureusement, il n'en découlerait aucun incident diplomatique. Le gouvernement canadien avait été informé de l'affaire, évidemment, mais comme le traité demeurait introuvable, il n'existait aucune preuve du complot américain. Pinkerton et ses deux acolytes avaient été discrètement renvoyés aux États-Unis. Le policier véreux, lui, avait été accusé de l'enlèvement du juge montréalais. Il écoperait sans aucun doute d'une condamnation et passerait les prochaines années en prison. Il serait le seul à payer pour toute cette histoire. Mais il fallait avant tout préserver les bonnes relations entre le Canada et les États-Unis. Officiellement, rien ne s'était passé et les deux pays continuaient à agir correctement l'un envers l'autre.

Dommage. Les États-Unis auraient pu faire beaucoup avec la province de Québec et toutes ses ressources naturelles… Cleveland se consola en pensant que son pays avait déjà l'œil sur l'Utah. Ils l'auraient tout de même bientôt, leur quarante-cinquième État.

NOTES HISTORIQUES

Cette histoire est une fiction basée sur des faits et des personnages réels. Le juge Louis-François-George Baby et son épouse, Marie-Hélène Berthelet, ont réellement existé. Ils se sont mariés sur le tard et, en 1882, ils ont adopté Godefroy Coffin. On sait peu de choses sur la vie de Godefroy, sinon qu'il a été adopté par les Baby alors qu'il était encore tout jeune et qu'il est devenu avocat, comme le juge. Bien sûr, il n'a jamais vécu cette aventure !

Robert Pinkerton, lui aussi, est un personnage réel. Il a pris la direction de l'agence Pinkerton fondée par son père, Allan. Renommée pour son intégrité, l'agence Pinkerton avait appréhendé plusieurs membres du gang de Jessie James et fait échouer une tentative d'assassinat contre le président Lincoln en plus d'espionner les troupes confédérées durant la guerre de Sécession américaine.

Quant à Robert Wallace McLachlan, il a été le conservateur des collections de la Société d'archéologie et de numismatique de Montréal, puis du nouveau Musée, de 1868 à 1899. Les sources nous laissent entrevoir un passionné de numismatique plein de manies mais extrêmement dévoué au Musée et à l'histoire. De même, toutes les institutions mentionnées dans l'histoire existaient. Mais, pour écrire un roman, il faut bien inventer quelques personnages. Silas Creasy, James Simmons, Alphonse Métivier, Jeanne et l'inspecteur Ménard en font partie.

Construit en 1705 par le gouverneur de Montréal, Claude de Ramezay, le Château Ramezay existe bel et bien. En 1891, il risquait la démolition. La Société d'archéologie et de numismatique, menée par son président, le juge Baby, s'est battue pour le sauver. Grâce aux multiples démarches du juge Baby et des autres membres de son conseil, elle inaugurait officiellement en avril 1896 le Musée du Château Ramezay en présence d'environ 500 personnes. Tous les gens importants y étaient — même le gouverneur général du Canada. La nouvelle institution a connu un franc succès: selon *La Minerve*, 16 000 personnes ont visité le nouveau musée seulement au cours de son premier mois d'existence. Quand on pense que Montréal abritait moins de 200 000 habitants à cette époque, ça fait vraiment beaucoup de monde! Un siècle plus tard, le Musée continue à accueillir des dizaines de milliers de visiteurs chaque année. Et le portrait du juge Baby est toujours exposé !

Bien entendu, les Rébellions de 1837-1838 ont eu lieu. Mais jamais l'Angleterre n'a envisagé de céder la province de Québec aux États-Unis en 1838 — à moins qu'il n'existe quelque part un traité secret que personne n'a encore trouvé…

TABLE DES MATIÈRES

Les titres de la collection Atout

* Lecture facile   ** Lecture intermédiaire   *** Lecture difficile